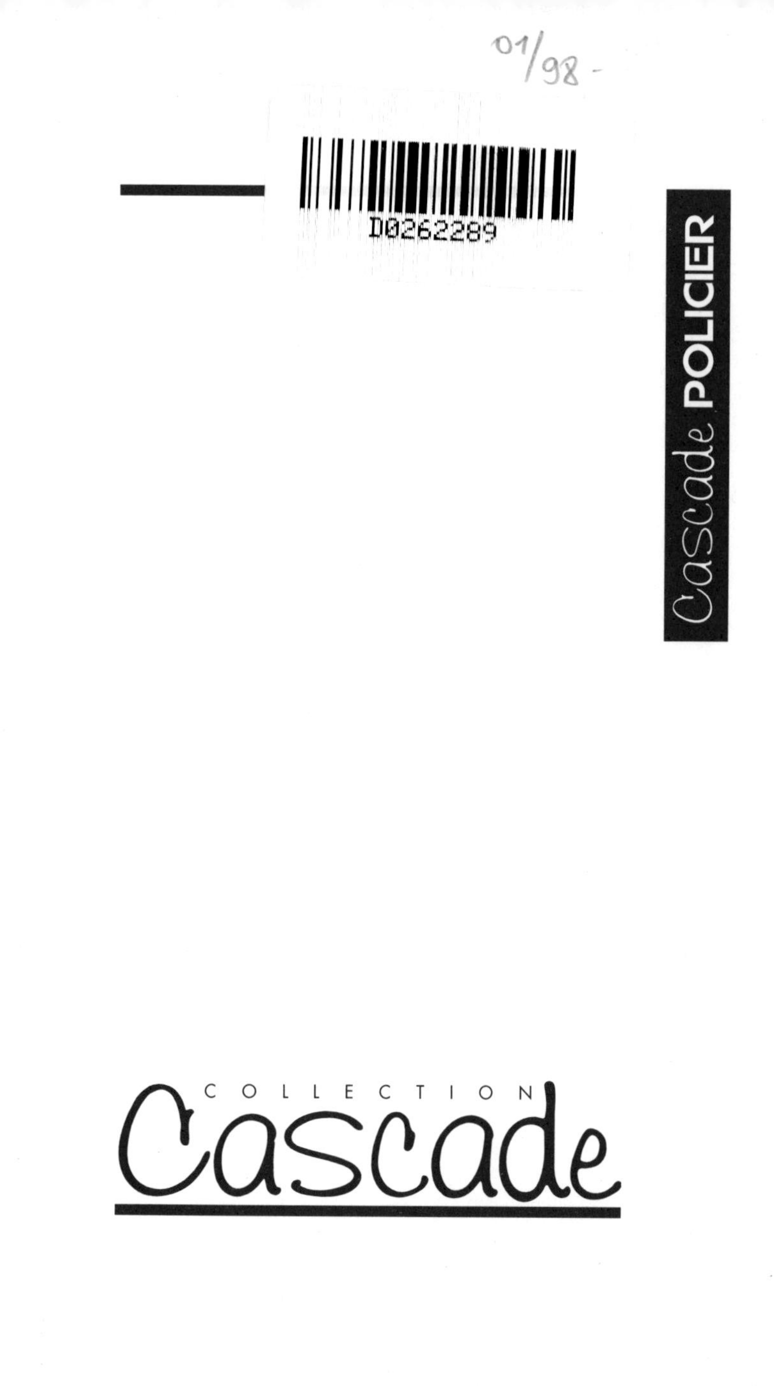
01/98 -
D0262289
Cascade POLICIER
COLLECTION
Cascade

CHRISTIAN GRENIER

L'ORDINATUEUR

RAGEOT-ÉDITEUR

Nota : la plupart des mots et expressions du domaine informatique (notamment ceux suivis de *) sont expliqués dans un glossaire en fin de volume.

Collection dirigée par Caroline Westberg

Couverture : Alain Korkos
ISBN 2-7002-2433-7
ISSN 1142-8252

Un ordinateur peut-il être un tueur ?

Logicielle relut trois fois de suite, sur son écran, cette étrange question que Germain venait de lui poser. Elle frappa sur son clavier des mots qui s'affichèrent sous la phrase de son interlocuteur :

Que voulez-vous dire par là ?

Germain : *La semaine dernière, je suis allé consulter mon médecin à Bergerac. Visite de routine. Les jours précédents, il avait constaté deux décès insolites : des personnes mortes d'un arrêt du cœur devant leur ordinateur.*

Logicielle réprima un sourire que Germain ne put voir : ils dialoguaient à six cents kilomètres de distance, grâce à Internet*. Mais c'était une conversation muette sur écran. Il en avait fallu, des semaines, avant que Germain ne se décide à acheter un ordinateur ! Logicielle avait même réussi à convaincre son vieil ami que le Réseau était un moyen aussi convivial et plus économique que le téléphone. Et tous deux correspondaient régulièrement par le biais de ce serveur informatique.

Logicielle : *Deux adolescents qui jouaient ?*

Germain : *Pas du tout. Deux hommes d'un*

âge respectable : le mien ! C'est-à-dire le double du vôtre.

Le sourire de Logicielle s'accentua : Germain avait plus de cinquante ans. L'année précédente, elle avait été la stagiaire de l'inspecteur Germain avant de devenir lieutenant de police et d'obtenir un poste en banlieue parisienne. Soucieux de retrouver ses racines à quelques années de la retraite, Germain avait décroché sans peine sa mutation à Bergerac, en Dordogne.

LOGICIELLE : *Hasard, Germain ! Aujourd'hui, les gens meurent devant la télé ! Il y a cinquante ans, ça n'arrivait jamais... Forcément !*

GERMAIN : *Vous avez raison. Je ne sais pas pourquoi ces morts m'ont paru suspectes. Je cherchais sans doute un prétexte pour vous détacher à Bergerac. Après tout, vous appartenez à la police scientifique, comme on dit aujourd'hui, n'est-ce pas Logicielle ?*

Logicielle se prénommait Laure-Gisèle. Mais très vite, à l'école de police, ses camarades avaient transformé son prénom en Logicielle à cause de sa passion pour l'informatique. Cette spécialité lui avait déjà permis de débrouiller une ou deux affaires complexes.

Elle n'avait pas répondu à la question de Germain. Son interlocuteur afficha trois nouvelles lignes qui remplacèrent les précédentes :

GERMAIN : *Tant pis ! Vous ne viendrez pas en mission dans le Périgord. J'aurais bien voulu vous revoir. Vous savez, le printemps est superbe en Dordogne !*

LOGICIELLE : *Ici aussi, il fait très beau. Allez, à +[1], Germain !*

GERMAIN : *À plus tard, Logicielle.*

Elle se déconnecta et resta un long moment, songeuse, face à l'écran noir. Le bruit d'un camion dans l'avenue la fit revenir à la réalité. Elle se leva pour fermer la fenêtre et y renonça : ici aussi, à Épinay-sur-Seine, il faisait chaud. La chaleur était étouffante malgré l'heure tardive et bien qu'on ne fût qu'en mai.

Le téléphone sonna. Logicielle, irritée, brancha le répondeur. Elle ne connaissait qu'une seule personne assez culottée pour l'appeler après vingt-trois heures. Et elle n'avait aucune envie de lui parler.

– Logicielle ? C'est Max, ton collègue préféré. Oh, je sais que je ne te réveille pas puisque ta ligne était occupée il y a trois minutes ! Tu ne veux pas décrocher ?... Bon, alors je préfère penser que tu es sortie... Je suppose que tu étais encore en grande conversation avec ton vieil ami Germain ?

Logicielle serra les dents. Elle n'aimait pas du tout les silences étudiés dont Maxime ponctuait ses phrases. Et encore moins l'ironie qui perçait sous ses derniers mots.

– Donc, je suppose que tu te promènes... Seule. Dans la nuit. En banlieue. Hum, c'est peu vraisemblable ! Ou alors c'est très imprudent, Logicielle, surtout quand on est jeune et jolie comme toi !

1. À + : abréviation de *à plus tard* utilisée sur les réseaux informatiques.

Elle haussa les épaules. À minuit, dans les rues de sa ville de banlieue, elle se sentait plus détendue qu'à midi, au bistrot, face à son collègue de bureau. Voilà trois mois qu'il lui cassait les pieds.

– J'aurais bien aimé t'accompagner, Logicielle. Mais je me console en pensant que je te verrai demain. Bon, je te fais la bise.

– Pas moi, répondit Logicielle sans décrocher.

Maxime ne prenait le risque de l'embrasser que par téléphone interposé. Logicielle tendit le bras pour éteindre la lumière ; elle n'eut qu'un pas à faire pour s'étendre sur son lit. C'était l'un des avantages de vivre dans un studio : cela simplifiait le ménage et économisait les gestes. Soudain, elle sursauta, consciente de s'être assoupie un instant ; elle se redressa, prise d'une angoisse indéfinie.

Dans l'obscurité, un œil la fixait, obstinément. Elle alluma la lampe de chevet : ce qu'elle avait pris pour un œil était le reflet, sur l'écran convexe de son ordinateur, d'un des lampadaires de l'avenue.

Elle se leva, ferma les doubles rideaux, éteignit et se recoucha. Mais elle eut du mal à se rendormir. Il lui semblait que l'œil la guettait dans l'ombre. Qu'un maléfice pouvait en jaillir pour la terroriser, l'assaillir et l'assassiner dans son sommeil.

En arrivant au premier étage du commissariat de Saint-Denis où elle travaillait, Logicielle fut accueillie par le grommellement aimable de Delumeau ; comme à son habitude, le commissaire avait fui son bureau exigu pour parcourir le couloir à grands pas en ruminant sa mauvaise humeur à mi-voix. Elle aperçut Maxime, passa près de lui et, sans le regarder, déclara :

– Pourrais-tu prendre mes communications ce matin, Max ? J'aimerais boucler ce rapport avant midi sans être dérangée.

Ici, quinze personnes travaillaient dans le même espace séparé par des cloisons à hauteur d'épaule. Le va-et-vient était incessant : gardiens de la paix, employés, plaignants... Il était difficile de se créer une bulle d'isolement dans ce brouhaha perpétuel.

Elle pianotait sur son ordinateur depuis moins de cinq minutes quand son téléphone sonna. Agacée, elle ne décrocha pas.

Une main frôla son épaule, saisit son combiné et le lui tendit. Elle leva la tête et aperçut Maxime : il affichait un sourire forcé.

– Navré, mais ton ami Germain insiste pour te parler. Comme tu ne décrochais pas...

Elle sauvegarda son texte et ferma son fichier tout en interrogeant son interlocuteur :

– Germain ? Que se passe-t-il ?

– Un troisième décès devant ordinateur, Logicielle. Cette fois, c'est le médecin légiste qui m'a alerté. Même chose : arrêt du cœur. Je suis persuadé que ces morts sont suspectes. Je me rends sur les lieux, à Eymet. Mais je voulais vous avertir. J'effectue une demande officielle pour vous dépêcher sur place.

Logicielle jeta un coup d'œil par-dessus la paroi de verre dépoli ; elle aperçut à dix mètres de là Maxime qui était lui aussi au téléphone. Il écoutait une conversation sans répondre à son correspondant. Elle comprit aussitôt qu'il était branché sur leur communication.

– Logicielle ? s'inquiéta Germain. Vous êtes toujours là, vous m'entendez ?

– Oui ! Mais notre ligne est encombrée. Je crois que nous sommes sur écoute. J'ai horreur des conversations téléphoniques à trois.

Aussitôt, Maxime raccrocha et la regarda avec un regard qui signifiait : « O.K., tu as été plus fine que moi, j'ai perdu. » Elle répondit par un sourire de remerciement sec et poli.

– Germain ? Inutile de passer par la voie hiérarchique. Nous sommes vendredi. Je saute dans un train et je suis ce soir à Bergerac.

À l'autre bout du fil, il y eut un silence.

– Prenez plutôt le TGV Paris-Bordeaux et descendez à Libourne. C'est à une heure de voiture de chez moi. Je serai à la gare.

Elle nota les horaires. Et à midi, au restaurant, lorsque Maxime l'invita au cinéma, elle répliqua, narquoise :

– Oh, ce serait avec plaisir Max ! Mais je pars ce soir voir mon vieil ami Germain, dans le Périgord. Je ne rentre que dimanche soir.

Il soupira et elle faillit se laisser attendrir. Max avait vingt-cinq ans, et il était plutôt séduisant. Grand, athlétique, il roulait volontiers des épaules pour accentuer sa ressemblance avec Arnold Schwarzenegger. Il ignorait que l'acteur préféré de Logicielle était Dustin Hoffman.

Pris au dépourvu, Maxime bredouilla :

– Je croyais que... qu'il allait t'envoyer un ordre de mission ?

– Ah, tu as raccroché trop tôt ! C'est une simple visite d'amitié.

Maxime semblait effondré. Il eut une grimace de vaincu et demanda à voix basse, le nez dans son assiette :

– Logicielle... pourquoi lui et pas moi ?

– Je ne sais pas à quoi tu fais allusion. Germain est un ancien collègue devenu un excellent ami et toi, tu es un jeune collègue devenu un bon camarade... un peu trop collant à mon goût, toutefois.

– Mais dans la vie, il y a autre chose que le travail, Logicielle ! Comment occupes-tu tes soirées, seule entre tes quatre murs ?

– Je possède un très bon ordinateur. Peu puissant, certes, et démodé. Mais je m'y suis bien habituée. Et il est de très bonne compagnie.

Lorsque Logicielle descendit du TGV à Libourne, elle eut l'impression d'entrer dans un four après avoir passé près de trois heures dans la fraîcheur de l'air conditionné.

Germain l'accueillit avec embarras.

– J'aurais préféré vous revoir dans d'autres circonstances, Logicielle. Très joli, ce tailleur... Mais dites-moi, vous avez maigri ?

– Peut-être. Et vous avez un peu grossi, non ?

– Hélas, le foie gras et le confit sont rarement sur la liste des régimes amaigrissants.

Germain sourit à sa passagère et lui désigna le paysage dans la nuit.

– Dommage que vous ne puissiez pas admirer les coteaux de Saint-Émilion... Ici, on découvre un château à chaque virage.

– Alors, cette nouvelle mort devant écran ?

– Semblable aux deux précédentes. Ce qui m'intrigue, c'est que tous ces événements ont eu lieu à quelques semaines d'intervalle, et en Dordogne ou dans les départements voisins.

– Attendez... tous ces accidents ? Il n'y en a eu que trois !

– Cinq. Après avoir vu la troisième victime ce matin, j'ai mené ma petite enquête. Et j'ai découvert qu'en l'espace d'un mois, deux autres personnes étaient mortes devant leur ordinateur : l'une le 28 avril à Miramont-de-Guyenne et l'autre le 4 mai à Sainte-Foy-la-Grande. Les trois décès suivants ont eu lieu à Bergerac, Eymet et Monpazier. Je n'avais encore relevé aucun accident de ce genre en France ; mais s'il s'en est produit, je le saurai bientôt... Avouez que cette loi des séries frappe près d'ici !

Ils traversèrent la Dordogne et entrèrent dans un petit bourg. Germain s'arrêta devant une grande maison carrée flanquée de deux pigeonniers. Sous la lune, la propriété, bâtie au milieu d'un petit parc, avait des airs de château. Logicielle s'extasia.

– C'est votre maison, Germain ? Mais elle est immense !

– Oh, elle m'a coûté moins cher que mon trois-pièces cuisine à Paris ! Pourtant, cette maison est sans doute l'un des morceaux du château de Catherine de Médicis qui a été détruit bien avant la Révolution. Les pigeonniers ont été ajoutés au milieu du XVIIIe siècle. Demain, je vous montrerai, sur la colline voisine, l'un des tout premiers temples de France, construit vers 1560... Dans la région, la moindre pierre a son histoire !

Logicielle admira la cheminée ancienne de la salle à manger et le vieil escalier en chêne dont chaque marche émettait un craquement différent ; Germain la conduisit dans la chambre d'amis et lui affirma en riant :

– Songez, Logicielle, qu'Henri IV en personne

a peut-être dormi ici, il y a quatre siècles ! Je ne plaisante pas : c'était le château de sa belle-mère. Vous voulez grignoter quelque chose ?
– Non, merci Germain. Je tombe de sommeil. Demain, j'y verrai plus clair.

Le chant des oiseaux la réveilla avant sept heures. Elle descendit et trouva Germain occupé à prendre le petit déjeuner sur la terrasse, à l'ombre d'un grand tilleul. En la voyant, il s'exclama :
– Déjà debout ? Vous avez raison : à cette heure, il fait encore un peu frais et nous travaillerons mieux... Je bois du café, vous aussi ?
Logicielle acquiesça et ouvrit le dossier que Germain avait posé près de sa tasse. Il contenait trois chemises, une pour chaque affaire. Tout en beurrant ses tartines, elle examina les photos, consulta les rapports, lut les conclusions des médecins légistes après autopsie.
– Évidemment, c'est troublant, murmura-t-elle. Ces trois hommes semblaient en bonne santé et ils ont eu un arrêt du cœur inexpliqué. L'un d'eux, cependant, avait déjà eu une alerte cardiaque ?
– Bénigne. Et il était suivi par son médecin.
– Et les deux décès dont vous n'avez eu connaissance qu'hier ?
– Hélas, ils datent de plus de quinze jours. L'enquête les concernant sera difficile : aucune photo n'a été prise et le permis d'inhumer ayant été délivré, il n'y a pas eu d'autopsie. Mais je me suis renseigné, Logicielle, regardez : les

cinq victimes travaillaient sur un ordinateur identique, un OMNIA 3*.

– Oui. Un bel animal.

– Que voulez-vous dire ?

– Ce modèle est très récent et très puissant : il possède cent vingt-huit gigaoctets* de mémoire vive et dispose de commandes vocales et optiques.

– Pour moi, c'est de l'hébreu !

– Les initiales OMNIA signifient Ordinateur à Mémoire Neuronique et Intelligence Artificielle. Les circuits imprimés traditionnels ont été remplacés par des réseaux de neurones. Le chiffre 3 indique la troisième génération. Ces ordinateurs obéissent à la voix et à l'œil.

– Vous voulez dire au doigt et à l'œil ?

– Non. On peut leur donner des ordres vocalement. Ou obtenir les fonctions désirées en fixant la barre de menus* du regard.

– Mais... pourquoi ce luxe de technologie ?

– Pour gagner du temps, Germain. Pour éviter de passer par le clavier ou la souris. Si ma mémoire est bonne, les OMNIA 3 n'ont été mis en circulation qu'à la fin de l'année dernière.

– Vous en possédez un ?

Logicielle hocha la tête avec regret.

– Vous plaisantez ! Ces bécanes coûtent aussi cher qu'une voiture neuve. Dites-moi, ajouta-t-elle en désignant une feuille, vous avez lu les rapports d'autopsie ? Deux des trois victimes ont absorbé des amphétamines.

– J'ai vu. Je l'ai fait remarquer au médecin légiste qui n'a pas été très étonné : les gens qui veulent conserver longtemps une attention soutenue utilisent fréquemment des substances dopantes.

– Mais votre cardiaque en avait absorbé, lui aussi ! Et les amphétamines ne sont guère recommandées aux gens fragiles du cœur.

– Exact, dit Germain.

Il remplit leurs bols pour la troisième fois et désigna sur la table la demi-livre de beurre et les trois pots de confiture.

– Voyez-vous, mon médecin m'a aussi déconseillé le café, les matières grasses et le sucre. Mais rien n'interdit hélas de désobéir à son médecin ! Ni de se procurer de façon clandestine ce qu'il refuse de vous prescrire. Je suppose que les utilisateurs de ces... euh... OMNIA 3 souhaitaient travailler de façon intensive pendant un certain temps. Si les médicaments qui stimulent l'attention ou la vigilance donnaient la mort, les cimetières afficheraient complet depuis longtemps !

Malgré la fraîcheur du tilleul, la chaleur devenait écrasante.

– Souhaitez-vous que nous nous rendions au domicile de l'une des cinq victimes ? demanda Germain.

– Ma foi, je suis aussi venue pour ça, Germain. Et je vous avoue n'avoir jamais vu de près un OMNIA 3 !

Germain passa quelques coups de fil. Puis ils partirent pour Eymet où avait eu lieu la dernière mort suspecte. Bientôt, ils entrèrent dans une petite ville aux maisons anciennes et aux rues étroites. Germain désigna à Logicielle un vieux mur haut de dix mètres auquel s'accrochait un grand donjon.

– Eymet est une ancienne bastide, expliqua-t-il. C'est-à-dire, dans la terminologie du Sud-Ouest, une ville fortifiée dont les rues se croisent le plus souvent à angle droit.

Germain gara sa voiture sur une place entourée d'arcades ; ils pénétrèrent sous un porche et gravirent un escalier de pierre. À la dame âgée qui leur ouvrit, Germain annonça :

– Je suis l'inspecteur de police qui vous a rendu visite hier et téléphoné tout à l'heure. Voici ma stagi... ma collaboratrice, de la police scientifique de Paris. Pardonnez-nous de vous importuner une nouvelle fois.

La vieille dame eut un geste de lassitude et les fit entrer sans un mot.

– Madame Bron est la mère de la victime, chuchota Germain à Logicielle tandis que leur hôtesse les précédait dans un couloir obscur.

Elle les introduisit dans un bureau cossu. Pauvrement éclairée par une fenêtre à meneaux, la pièce était encore assombrie par des meubles de chêne. La dame s'approcha d'un coffre Renaissance pour allumer une lampe chinoise ventrue. Désignant un fauteuil à Logicielle, elle murmura :

– Comme je l'ai annoncé à monsieur l'inspecteur, j'ai trouvé Antoine ici, hier matin, affalé sur le clavier de son ordinateur. Son métier l'occupait beaucoup. Ah, il n'était pas chiche de ses heures...

– Quelle activité exerçait-il ?

– Représentant en vins, mademoiselle. Antoine travaillait souvent la nuit dans son bureau. À cause de la chaleur.

– Le décès a eu lieu vers trois heures du matin, confirma Germain. Dans la nuit de jeudi à vendredi.

– Et on enterre mon Antoine après-demain, sanglota la vieille dame en s'éclipsant dans le couloir pour dissimuler son chagrin.

Logicielle s'approcha d'un meuble informatique qui, malgré sa sobriété, jurait avec le mobilier de la pièce. L'OMNIA 3 possédait un écran plat géant et un clavier traditionnel. Elle s'assit dans le fauteuil et trouva, à hauteur de genou, le corps de l'appareil qui, comme la plupart des ordinateurs, ressemblait à une simple valise métallique. Sur sa façade, garnie de plusieurs tiroirs, clignotaient de nombreuses lampes témoins.

– Vous ne l'avez pas débranché ? demanda Logicielle.

– Oh, nous n'avons touché à rien.

– Vous pouvez éteindre la lampe, Germain ? Sa lueur se reflète sur l'écran et je ne vois rien.

Dès que la pièce fut plongée dans la pénombre, ils aperçurent, sur l'écran noir, des zébrures de couleur qui se mirent à danser en dessinant d'étranges figures géométriques. Germain recula, impressionné.

– C'est l'économiseur d'écran*, dit Logicielle en approchant ses doigts du clavier.

Mais elle suspendit son geste.

– Vous croyez qu'il y a encore un risque ?

Elle hocha négativement la tête. Malgré l'aspect imposant de l'appareil, elle ne parvenait pas à croire que la mort en avait jailli. Ni que l'ordinateur pouvait la choisir pour cible.

Elle réprima les battements de son cœur et effleura une touche.

Aussitôt, l'écran s'illumina, révélant de nombreuses fenêtres surmontées de lettres et de chiffres. Une voix féminine suave, semblable à celle des hôtesses d'aéroport, annonça :

– *Bonjour Antoine.*

– C'est magique ! s'exclama Germain d'une voix faible et altérée.

– Non, c'est logique, répondit-elle en désignant, sous l'écran, les deux micros intégrés et l'œil d'une caméra.

– La caméra est détraquée, dit Germain. L'ordinateur vous a confondu avec Antoine !

– S'il m'avait appelée Logicielle, c'est là que

j'aurais été épatée ! Non : cet OMNIA 3 a été programmé pour être manipulé seulement par Antoine Bron, voilà tout !

– *Que souhaitez-vous faire aujourd'hui ?* reprit l'ordinateur sur un ton velouté.

– Eh, Logicielle, ne touchez pas au clavier ! Qui sait si... ?

– Soyez sans crainte, Germain, j'essaie d'annuler les fonctions vocales : je suis habituée à utiliser la souris et je ne voudrais pas que l'OMNIA 3 interprète mal mes ordres.

Ce que Logicielle n'avouait pas à Germain, c'est que cette voix l'agaçait prodigieusement. Célibataire, Antoine avait programmé son ordinateur en choisissant des intonations et un timbre particulier ; ces choix la renseignaient mieux sur la personnalité de la victime que les titres des livres de sa bibliothèque. Elle posa l'index sur une bille qui affleurait le clavier.

– Mais ce n'est pas une souris ! dit Germain.

– C'est un trackball*. Il se manipule avec l'index, regardez...

La flèche mobile se pointa sur une icône. Aussitôt, l'écran afficha :

Saint-Émilion. Clients /Lot-et-Garonne.

Adresses, chiffres, bulletins de commande, défilèrent. Logicielle revint à l'explorateur de programmes et l'examina avec soin.

– Eh bien ? s'impatienta Germain penché sur son épaule. Vous trouvez votre bonheur ?

– Non. Il n'y a là que des fichiers de comptabilité très ordinaires.

Elle se pencha vers le corps de l'ordinateur

qui trônait à ses pieds, encastré dans le meuble ; elle eut un sifflement admiratif.

– Que se passe-t-il ? demanda Germain.

– Vous voyez ce tiroir ? Eh bien c'est un lecteur de CDEX*.

– Un lecteur de CD-Rom*, vous voulez dire ?

– Non. C'est beaucoup mieux que ça.

Elle manipula une commande et le petit tiroir s'ouvrit, révélant un disque doré qu'elle sortit avec précaution.

– Les CDEX, expliqua-t-elle, sont aux CD-Rom ce que les disques compacts sont aux disques vinyle. D'une toute nouvelle génération, ils peuvent contenir cinq cents gigaoctets d'informations. Et ils sont réinscriptibles.

– Vos explications seraient passionnantes si je parvenais à les comprendre.

– C'est simple : un CDEX renferme cinq cents milliards d'octets, soit des milliers de fois plus qu'un CD classique. Et on peut l'effacer et le réenregistrer comme une vulgaire cassette.

– Et celui-ci, que contient-il ?

– Je vais essayer de le savoir.

Logicielle était démunie devant ces technologies nouvelles. Certes, elle était imbattable en informatique mais elle n'avait pas encore pu se familiariser avec ces modèles luxueux. Elle était dans la situation d'un pilote de formule 1 qui se trouverait soudain aux commandes d'un avion Concorde.

Après quelques tâtonnements, elle découvrit les procédures. L'écran n'afficha que du blanc.

– Il est vide.

– Vide ?

– Peut-être s'agit-il d'un CDEX vierge. À moins que son utilisateur n'ait effacé les informations qu'il contenait pour en enregistrer de nouvelles. Mais il n'en a pas eu le temps.

Logicielle se leva, ouvrit les tiroirs du bureau, fouilla dans la bibliothèque.

– Que cherchez-vous ? demanda Germain.

– Je ne sais pas exactement. D'autres CDEX, peut-être. Mais Antoine Bron semblait n'en posséder qu'un. Mmm... ceci me serait très utile.

– Qu'est-ce que c'est ?

– Le mode d'emploi de l'OMNIA 3. J'aimerais bien l'emporter...

Interrogée, la vieille dame approuva et ajouta :

– Ah, si vous pouviez me débarrasser de cette maudite machine ! Le constructeur a été averti de ce qui est arrivé à mon fils. Et lundi, l'ordinateur retournera à l'usine. Il paraît que je serai remboursée... Remboursée... vous pensez comme je m'en fiche, à présent ! Mais quelle mouche a donc piqué Antoine pour qu'il achète un tel ordinateur ?

– Encore une chose, madame, demanda Logicielle. Votre fils prenait des médicaments, n'est-ce pas ? Pouvez-vous me les montrer ?

La mère d'Antoine les emmena dans la salle de bains où ils découvrirent, parmi les produits de la petite armoire à pharmacie, une boîte entamée de Taminox. Logicielle l'emporta, non sans avoir noté les coordonnées du médecin de famille.

Lorsqu'ils se retrouvèrent sur la route de Bergerac, Logicielle grommela :

– Il y a tout de même un mystère...

– En effet ! Un ordinateur qui décide comme ça, sur un coup de tête, de devenir un assassin à trois heures du matin, c'est un peu fort ! Vous dites qu'il possède une mémoire à réseaux de neurones ? Une intelligence artificielle ? Aurait-il acquis une certaine personnalité ? Son utilisateur l'aurait-il, euh... vexé ?

Logicielle haussa les épaules.

– Non, Germain, c'est impossible ! Ces ordinateurs n'existent que dans les romans ou les films de science-fiction.

– Pourtant, les informaticiens se plaignent souvent de certains virus qui détruisent les données. Est-ce que ces virus... ? Pourquoi souriez-vous ?

– Parce que votre question est très naïve, Germain. Les virus informatiques ne sont pas des virus biologiques !

À cet instant, une petite musique jaillit du tableau de bord du véhicule et une voix annonça :

– Carburant : niveau minimum !

Logicielle éclata de rire.

– Eh bien Germain, pourquoi êtes-vous étonné qu'un ordinateur parle ? Votre voiture est douée de la parole, elle aussi ! Si elle tombait en panne, ou si son moteur était fatigué, vous viendrait-il à l'idée qu'elle est devenue contagieuse ?

– Ma foi, ces événements auraient un effet sur mes nerfs, c'est certain ! grommela Germain. Oh, regardez ! ajouta-t-il en désignant un château perché sur un coteau. C'est Monbazillac. Je vous y conduis, il faut que vous le visitiez.

Comme il était midi passé, ils déjeunèrent au restaurant du château ; et Germain insista pour que son ancienne stagiaire goûte aux spécialités périgourdines. Tandis qu'ils dégustaient un Monbazillac de 1989 frais à point, Germain s'inquiéta :

– Vous semblez soucieuse, Logicielle ?

– Oui. Je ne comprends pas pourquoi ce représentant en vins a acheté un appareil aussi sophistiqué.

– Ma foi, c'était un passionné d'informatique ! Tenez, j'ai un ami qui engloutit toutes ses économies dans de vieilles Jaguar d'occasion. Des Jaguar ! A-t-on idée ?

– D'abord Germain, Antoine n'était pas féru d'informatique puisque l'OMNIA 3 était son premier ordinateur. Ensuite, en cinq mois d'utilisation, il a stocké fort peu d'informations dans sa machine. Enfin, il n'avait pas besoin d'un modèle aussi puissant : pour tenir ses comptes, ce simple agenda électronique lui aurait suffi !

Elle sortit de son sac un objet en plastique noir, à peine plus grand qu'une calculette. Germain eut un doute :

– Ne me dites pas, Logicielle, que... ?

– Si. C'est l'agenda d'Antoine. Oh, rassurez-vous, je le renverrai à sa mère, mais j'aimerais y jeter un coup d'œil, on ne sait jamais.

On leur apporta une crème brûlée dont Logicielle apprécia la double opposition de moelleux et de craquant, de fraîcheur et de brûlant. Lorsque Germain lui apprit qu'il s'agissait là d'une recette locale moyenâgeuse, elle songea que cette région avait réussi à perpétuer jusqu'à sa gastronomie. Et elle se demanda si les moyens contemporains de conserver la mémoire autoriseraient les mêmes fidélités.

– Allons visiter le château, à présent. Eh, Logicielle, vous rêvez ? À quoi songez-vous ?

– Je pensais qu'avant de repartir, vous devriez obéir à votre voiture, Germain... et faire le plein !

Après avoir visité Monbazillac, ils se rendirent à Issigeac où un certain Dominique Lavigne était mort dans l'après-midi du 15 mai devant son ordinateur. Son épouse avoua qu'elle avait éteint l'OMNIA 3. Devant le soupir de déception de Logicielle, elle demanda :

– Est-ce que je n'aurais pas dû ? Je n'y connais rien en informatique et...

– C'est sans importance, madame. Pouvons-nous occuper un instant le bureau de votre mari ?

Logicielle remit l'ordinateur en fonction ; son utilisateur n'avait jamais initialisé les commandes vocales : cet OMNIA 3 était muet ! Logicielle interrogea la machine à l'aide du clavier et de la souris.

– Que cherchez-vous donc ?

– La dernière application. J'aimerais savoir si monsieur Lavigne, juste avant de mourir, jouait, écrivait ou effectuait des calculs.

– Comme l'ordinateur a été éteint, ces indications sont impossibles à déceler ?

– Mais non Germain, dit Logicielle en désignant l'écran. Regardez : les dernières applications sont LTPG, Internet, Dico + et Word 9.

– C'est-à-dire ?

– Le 14 mai à 18 h 17, monsieur Lavigne a lancé son traitement de texte Word 9, sans doute pour rédiger un courrier. À 19 h 08, il a consulté Dico +, le dictionnaire intégré, pour une vérification orthographique. À 22 h 34, il s'est branché sur Internet. Enfin, le 15 mai à 16 h 08, il utilisait un logiciel baptisé LTPG.

Logicielle fit apparaître sur l'écran le texte du dernier courrier rédigé par la victime. Il était anodin et concernait l'achat d'une salle à manger Henri II – M. Lavigne était brocanteur. La communication avec Internet n'avait laissé aucune trace écrite. Il était impossible de connaître le ou les correspondants de l'utilisateur ; Logicielle apprit seulement que la liaison avait duré dix-sept minutes.

– Et LTPG ? demanda Germain. Qu'est-ce que c'est ?

– La dernière application. À part ça, je n'en ai aucune idée.

Ce pouvait être aussi bien une encyclopédie, un jeu, un logiciel de musique ou un programme de karaoké. Logicielle balada la souris sur le tapis, cliqua trois fois et annonça :

– C'était un programme qui figurait sur un CDEX. Autrement dit, il y a de fortes chances pour que monsieur Lavigne soit mort le 15 mai à 16 h 08 en utilisant LTPG.

Elle ouvrit le tiroir du lecteur de disquettes, désigna l'objet qu'il recélait et annonça :

– Le problème, c'est que ce disque est vide, comme celui d'Antoine Bron.

– Et vous êtes certaine, Logicielle, qu'il renfermait des informations ? ... Que faites-vous ?

– J'essaie d'identifier l'ancien contenu du CDEX. Mais je ne peux que constater la taille du trou : quatre-vingt-trois gigaoctets. Ce disque possédait donc quatre-vingt-trois milliards d'octets et sa mémoire, pour une raison inconnue, a été vidée ! Tout se passe comme si je retrouvais un ouvrage dont il ne reste plus que le titre... et des pages blanches.

Logicielle demanda à Mme Lavigne si son mari prenait du Taminox.

– Oui ! avoua-t-elle en dissimulant mal sa surprise. Mais son médecin a longtemps hésité avant d'accepter de le lui prescrire. Comment savez-vous... ?

– L'autopsie de votre mari a révélé qu'il avait absorbé des amphétamines, dit Germain. Savez-vous pourquoi il utilisait ces stimulants ?

– Non. J'ai été stupéfaite lorsque j'ai su qu'il en avait réclamé au docteur.

Ils achevèrent leur enquête par Bergerac. Là, Mme Sauzon, une femme de tête, les retint longuement. Elle se déclarait persuadée que l'OMNIA 3 était le responsable de la mort brutale de son époux dont la santé n'avait jusque-là donné aucun signe de faiblesse.

– Pardonnez-moi, insista Logicielle, mais votre mari ne prenait vraiment aucun médicament ? Tranquillisant ? Excitant ?

– Rien mademoiselle. Jusqu'à ce que mon mari achète cet ordinateur, il était en pleine forme. C'est lui qui l'a tué, j'en suis persuadée. Pourquoi n'a-t-il pas acheté une machine comme la mienne ?

– Vous avez un ordinateur, madame ?

– Oui. Je suis comptable à domicile. Et je me demande quelle lubie a soudain poussé mon mari à s'équiper de cette façon.

Logicielle se battit un bon quart d'heure avec l'OMNIA 3 pour tenter d'interroger sa mémoire.

– Un problème ? demanda Germain.

– Oui. Et de taille : regardez.

L'écran affichait obstinément : *CODE ?*

– Monsieur Sauzon a protégé l'accès aux données. Je ne connaîtrai sans doute jamais la voix de cette bécane ! Et encore moins son contenu.

– Essayez de découvrir le code !

– Difficile. Il existe des milliards de possibilités. Il faudrait qu'un technicien ouvre le ventre de cette bête et la dissèque soigneusement... Je crois que ça n'en vaut pas la peine.

Logicielle s'empara du disque doré que contenait le lecteur de CDEX ; l'objet rejoignit dans son sac l'agenda électronique d'Antoine Bron. Elle aurait parié son salaire qu'elle trouverait là aussi un trou de quatre-vingt-trois milliards d'octets.

Quand ils quittèrent Mme Sauzon, le soir tombait sur la Dordogne. Germain désigna, à l'ouest, quelques nuages roses effilochés.

– Regardez Logicielle, voici enfin un peu de pluie pour demain ! En attendant, je vous emmène dîner dans une ferme-auberge.

Lorsqu'ils sortirent de table, il était plus de minuit. Sur la route du retour, le ciel s'illuminait d'éclairs de chaleur.

Pendant la nuit, Logicielle se réveilla en sursaut. Oppressée par une angoisse dont la violence la stupéfia, elle s'assit sur son lit et attendit que les battements de son cœur s'apaisent. Au-dehors, le vent soufflait en rafales et des grondements intermittents secouaient la campagne. Longtemps, elle veilla en attendant la pluie. Mais la fatigue aidant, elle se rendormit un peu avant l'aube.

L'orage avait refusé d'éclater et il n'était pas tombé une seule goutte d'eau.

Ils prirent leur petit déjeuner sous le tilleul.

Germain proposa à Logicielle de l'emmener à Miramont et à Sainte-Foy-la-Grande où avaient eu lieu les deux premiers décès.

– L'ennui, lui avoua-t-il, c'est que les ordinateurs des victimes ont déjà été récupérés par le constructeur.

– Ces visites ne nous apprendraient rien de plus, Germain ! Il vaut mieux que nous fassions le point ici.

Ils se réfugièrent dans la fraîcheur de la salle à manger. Logicielle compléta le dossier qu'avait constitué Germain. Mais ses notes ne semblaient pas la satisfaire. Elle expliqua :

– Demain, je reporterai toutes ces indications sur mon disque dur. Quelques mots-clés nous livreront peut-être un indice.

– Des mots-clés ? fit Germain en haussant les épaules. Pour ma part, je n'en vois qu'un seul et il crève les yeux : OMNIA 3 ! Les cinq victimes utilisaient cet engin. Aucun doute : il est dangereux. Pourquoi ? Je l'ignore. Et ce n'est pas une simple enquête de police qui nous l'apprendra. À mon avis, cet ordinateur possède un redoutable défaut de fabrication ! Vous ne semblez pas convaincue ?

Elle hésitait à contredire Germain. Enfin, elle déclara :

– Non ! Décidément, je ne crois pas que l'OMNIA 3 soit capable de tuer son utilisateur. Un ordinateur est comparable à... une platine tourne-disque. Ce n'est pas la platine qui m'intéresse, mais le contenu du disque. Autrement dit, le logiciel utilisé par les victimes.

– Pourtant, tous ces accidents ont eu lieu avec ce modèle !

– Un modèle que des milliers de personnes utilisent en ce moment même ! On pourrait se demander pourquoi elles ne tombent pas comme des mouches ! J'admets qu'il existe des façons dangereuses de conduire ces bécanes...

– Les conduire ? Qu'entendez-vous par là ?

– Les OMNIA 3 sont des bolides luxueux et puissants. Comme des Jaguar ! En soi, ces automobiles sont inoffensives. Mais leur souplesse et leur rapidité entraînent parfois leurs pilotes à commettre des imprudences mortelles !

– Doucement. Votre comparaison ne tient pas la route, Logicielle : on connaît les dangers des voitures, des motos ou des tondeuses à gazon. Mais je n'ai jamais entendu dire que quelqu'un avait péri par la faute de son transistor ou de son répondeur téléphonique !

– Moi, si. En 1938, Orson Welles a provoqué panique et suicides en annonçant à la radio le débarquement des Martiens. Il arrive que des gens sensibles ou cardiaques succombent en apprenant une mauvaise nouvelle. Ce qui m'intéresse, Germain, ce n'est pas la marque de fabrique des ordinateurs, mais les logiciels et la personnalité de leurs utilisateurs…

Elle étala sur la table une grande feuille de papier sur laquelle figurait un tableau :

Victime	Décès le	Lieu	Ordinateur	CDEX	Amphétamines
	28 avril	Miramont	OMNIA 3	?	?
	4 mai	Ste-Foy	OMNIA 3	?	?
M. Sauzon	9 mai	Bergerac	OMNIA 3	oui	oui
M. Lavigne	15 mai	Issigeac	OMNIA 3	oui	oui
M. Bron	24 mai	Eymet	OMNIA 3	oui	oui

– Je comprends où vous voulez en venir, dit Germain. Vous pouvez dès maintenant ajouter les noms qui manquent : Julien Carrier pour Miramont et Edmond Maruani pour Sainte-Foy-la-Grande. Demain lundi, je reprendrai mon enquête pour savoir si ces victimes utilisaient des amphétamines, et si leurs ordinateurs possédaient des lecteurs de CDEX.

– Vous avez vu, Germain ? Plusieurs analogies crèvent déjà les yeux, non ?

– En effet : les victimes sont des hommes. Et ils ont tous le même âge.

– Ce dernier renseignement ne figurait pas sur mon tableau. Que les victimes soient des hommes s'explique : c'est parmi eux qu'on trouve les mordus d'informatique…

– Oh, beaucoup de femmes travaillent sur ordinateur dans les bureaux !

– Oui. Mais j'en connais peu qui passent la nuit sur leur machine familiale.

– Et l'âge des victimes, Logicielle ? Elles ont toutes une cinquantaine d'années ! Étonnant, non ? Ne m'avez-vous pas dit que quatre-vingts pour cent des passionnés d'informatique avaient moins de trente ans ?

– C'est vrai. Mais parmi eux, lesquels pourraient acheter une machine de cent mille francs ?

Logicielle dut admettre que c'était là un mauvais argument : Maxime achetait à crédit une moto qui coûtait les yeux de la tête.

– Germain, reprit-elle en étalant sur la table une carte routière, avez-vous noté que ces décès ont eu lieu à vingt kilomètres de distance ?

– Pardi ! C'est bien pour ça que je vous ai demandé de venir ! À ma connaissance, aucun autre accident devant ordinateur n'a eu lieu en France ni à l'étranger... pourquoi ?

– Peut-être un effet de la chaleur locale, dit Logicielle en souriant. Ou une conséquence de l'abus de foie gras ! Trêve de plaisanterie. À mon avis, l'une des clés du mystère est de nature... géographique.

Elle relia les villes par un trait de crayon, ce qui se traduisit par un cercle grossier.

– Ces cinq décès sont survenus au sud-ouest du Périgord, et à la frontière de la Gironde et du Lot-et-Garonne ! Regardez, Germain : au centre de ce cercle se trouve le village où vous habitez... Si j'étais chargée de l'enquête, vous seriez à mes yeux le premier suspect !

– Vous ne croyez pas si bien dire, bougonna l'inspecteur en débarrassant la table. Demain, je veillerai à ce que ce dossier vous soit confié !

Revenue à Paris le dimanche en fin de soirée, Logicielle passa une partie de la nuit sur son ordinateur. Elle l'avait gavé avec les données qu'elle avait recueillies. Aucune solution n'apparaissait. Son logiciel soulignait le manque d'informations concernant les victimes.

– D'accord ! grommela-t-elle face à l'écran. Je vais demander des précisions à Germain ! C'est ce que tu veux ?

Son vieil ordinateur resta muet, il ne possédait aucune commande vocale. Aurait-elle apprécié qu'un dialogue s'instaure à voix haute ? Elle n'en était pas sûre : qu'une voix humaine préenregistrée réponde à ses questions n'aurait pas fait de sa machine un interlocuteur authentique.

Le lendemain, si elle put échapper à Maxime durant la matinée, elle dut affronter ses questions pendant le repas de midi. Elle habitait trop loin pour rentrer déjeuner chez elle ; et elle ne détestait pas assez son collègue pour lui refuser ce tête-à-tête quotidien.

– Bon week-end ? lui demanda-t-il sur un ton détaché. L'ami Germain va bien ?

Une heure plus tard, Maxime était au courant des moindres détails de l'affaire. Pour un peu, il aurait manifesté plus d'enthousiasme que Logicielle à l'idée de résoudre le mystère des OMNIA 3.

– Comment comptes-tu débrouiller cette histoire ?

– Je ne compte rien débrouiller du tout ! répondit-elle, agacée. J'ai assez de travail ici ; pas question de passer mes dimanches à plancher sur une enquête supplémentaire pour le plaisir !

Mais le lendemain après-midi, au moment où elle mettait le point final à un long rapport, elle entendit renifler au-dessus d'elle. Levant la tête, elle aperçut le visage peu aimable du commissaire Delumeau. À cause de la chaleur, sa chemise blanche relevée jusqu'aux coudes ressemblait à un drap qui sort de l'essoreuse ; son supérieur hiérarchique tenait en main un fax récent mais déjà fripé.

– Qu'est-ce que c'est que cette histoire, Logicielle ? La préfecture m'apprend que vous pourriez être provisoirement détachée en Dordogne pour une mission spéciale ?

Logicielle lui résuma l'histoire ; Delumeau l'interrompit :

– Attendez. Je ne vous demande pas de m'expliquer cette affaire, mais de me dire comment vous allez faire face à la fois à vos dossiers en cours dans notre circonscription et à cette nouvelle enquête à l'autre bout de la France. Jusqu'à plus ample information, vous êtes toujours dans notre service, non ?

– Écoutez monsieur Delumeau…

Il ne voulut rien écouter. Il repartit furieux, après avoir jeté le fax à la corbeille.

Le soir même, Logicielle se brancha sur Internet et chercha à contacter Germain. La réponse fut immédiate : Interlocuteur non connecté.

Elle soupira. Décidément, l'inspecteur avait du mal à se familiariser avec le Web*, c'était déjà un miracle qu'il ait accepté d'acheter un ordinateur. Le temps qu'elle lui laisse un message dans sa BAL* et Maxime la rejoignait sur le Réseau*. Elle coupa la communication sans répondre. Une heure plus tard, le téléphone sonna. Elle décrocha, prête à insulter son collègue.

– Logicielle ? C'est Germain. J'arrive de Miramont. Nos soupçons se confirment : aucun décès suspect devant ordinateur n'a eu lieu en France hormis ceux survenus en Périgord. J'ai appris que l'OMNIA 3 des deux premières victimes était aussi doté d'un lecteur de CDEX. Bien sûr, il est impossible de mettre la main sur les disques utilisés puisque les machines ont été retournées chez le constructeur. Carrier et Maruani étaient âgés de 49 et 50 ans. Les veuves m'ont affirmé que leurs maris ne prenaient pas d'amphétamines. Mais elles m'ont autorisé à fouiller dans leur armoire à pharmacie. Et chez madame Carrier, j'ai découvert une boîte de Taminox entamée. Par contre, je n'ai rien trouvé chez les Maruani. Peut-être qu'en demandant un mandat de perquisition et avec une fouille plus minutieuse... ?

– Ce ne sera pas utile, Germain. Par contre, il faut que nous prenions un pseudonyme pour communiquer sur Internet : un casse-pieds n'arrête pas d'encombrer ma ligne. À moins que... Vous possédez un minitel, n'est-ce pas ?

Sur le réseau Télécom existait un vieux serveur bon marché : RTEL 1*. Elle lui donna la marche à suivre pour qu'ils s'y branchent chaque soir après vingt-deux heures trente. Elle lui expliqua que Delumeau avait peu apprécié l'ordre de détachement provisoire envoyé par la préfecture.

– C'est bon, soupira Germain. Je vais annuler ma demande et me débrouiller seul. Je ne voudrais pas que par ma faute, vous ayez vos supérieurs sur le dos.

Logicielle intégra les nouveaux renseignements sur son ordinateur. Elle lui demanda de les relier aux précédents et une synthèse provisoire s'afficha sur l'écran :

Cinq individus mâles d'une cinquantaine d'années sont morts à moins d'un mois d'intervalle devant un OMNIA 3 doté d'un lecteur CDEX. Ils habitaient dans des villes voisines. Trois d'entre eux utilisaient des amphétamines.

– Bon sang ! Pourquoi n'ai-je pas mieux regardé les derniers fichiers utilisés par Antoine Bron ? Et s'il utilisait le même logiciel que Lavigne, ce fameux LTPG !

Elle ignorerait toujours sur quoi travaillaient les deux premières victimes : leur ordinateur était reparti à l'usine. Quant à l'OMNIA 3 de Sauzon, elle n'aurait jamais accès à son contenu puisque le propriétaire avait emporté le code d'accès dans sa tombe.

Il était trop tard pour qu'elle rappelle Germain. Elle lui envoya un fax, lui demandant de retourner à Bergerac et de procéder à cette vérification.

Elle se réveilla au milieu de la nuit et crut d'abord que la chaleur en était la cause. Mais elle comprit qu'elle s'était endormie en négligeant de répondre à une question. Une question qui, à trois heures du matin, s'imposait soudain à son esprit : pourquoi Sauzon avait-il utilisé un code d'accès ?

La journée du lendemain fut trépidante. Logicielle dut enquêter sur deux cambriolages et une agression dans un parking souterrain. Revenue vers quatorze heures au commissariat, elle partait s'acheter un sandwich quand Delumeau la surprit descendant l'escalier.

– Ah, vous voilà enfin ? Vous trouverez sur votre bureau les rapports d'expertise du dossier de la semaine dernière. Il me faut vos conclusions ce soir.

Elle jeûna, rentra à vingt heures, dîna et se brancha sur RTEL 1 ; Germain était justement en train de lui laisser un long message dans sa BAL. Ils organisèrent aussitôt un salon.

GERMAIN : *J'ai bien reçu votre fax. Je suis retourné à Eymet chez Antoine Bron. En suivant vos instructions, j'ai effectué sur l'OMNIA 3 la recherche que vous me demandiez. Vous aviez raison : la dernière application utilisée par Antoine était baptisée elle aussi LTPG !*

Logicielle eut un regard de rancune vers le disque doré posé à côté de son écran. Comme elle aurait voulu savoir ce qu'il avait contenu !

LOGICIELLE : *La clé des meurtres est ici, Germain : il faut découvrir ce qui se cache der-*

rière LTPG. Et la raison pour laquelle les victimes ont vidé leur disque avant de mourir...

Soudain lui revint en mémoire la question qui l'avait obsédée durant la nuit précédente. Elle pianota sur son clavier :

J'aimerais aussi savoir pourquoi Sauzon a protégé l'accès aux données.

GERMAIN : *Presque tous les ordinateurs possèdent cette sécurité.*

LOGICIELLE : *Oui, mais peu de gens l'utilisent. Le vôtre dispose d'un code secret, Germain ?*

GERMAIN : *Je n'ai pas de secrets, Logicielle. Ni d'enfant susceptible d'effacer par maladresse les données de mes fichiers...*

LOGICIELLE : *Idem pour moi. Même l'ordinateur du commissariat n'est pas protégé par un code, c'est un comble ! Conclusion : Sauzon voulait être le seul à connaître certaines données. Notamment le contenu du CDEX. C'est-à-dire le fameux LTPG.*

GERMAIN : *Alors pourquoi Lavigne n'a-t-il pas pris la précaution d'utiliser un code d'accès ?*

Les scènes des jours précédents défilèrent dans la mémoire de Logicielle. Elle tapa fébrilement :

Parce que madame Lavigne, de son propre aveu, n'y connaissait rien en informatique !

GERMAIN : *Soit. Mais Antoine Bron n'avait pas protégé non plus l'accès aux données de sa machine.*

LOGICIELLE : *Bien sûr ! Il était célibataire. Il vivait avec sa mère qui aurait été incapable de se servir de l'OMNIA 3 ! Mais la veuve Sauzon, elle, possède un ordinateur. Il lui aurait été facile d'aller fouiller dans les dossiers de son mari. Et de découvrir ce que contenait son CDEX.*

Soudain, un bref message en caractères gras s'inscrivit en haut de l'écran :

SUPERMAX : *Logicielle ? Appelle-moi de toute urgence !*

Elle resta interloquée plusieurs secondes. Ainsi, Maxime avait réussi à la dénicher sur ce vieux serveur minitel ! Elle se reprocha de n'avoir pas pris de pseudonyme. Son collègue, lui, n'avait pas hésité : Supermax... Pourquoi pas Musclor ou Batman ? Et voilà qu'il intervenait à nouveau dans leur salon particulier comme un intrus entre sans frapper !

GERMAIN : *Hier, au commissariat de Bergerac, j'ai aussi eu une mauvaise surprise : la visite d'un correspondant local du journal* Sud-Ouest. *J'ignore comment il a appris cette série d'accidents devant les OMNIA 3, mais il avait l'air très au courant de la situation...*

En haut de l'écran, une nouvelle ligne remplaça la précédente :

SUPERMAX : *C'est URGENT ! Libère ta ligne SVP !*

Logicielle songea que Germain restait heureusement à l'écart de cette stupide intrusion. Elle répondit à l'importun sur l'unique ligne dont elle disposait :

Tu pourrais me lâcher les baskets ?

GERMAIN : *Un problème Logicielle ? Vous avez interrompu le dialogue ?*

LOGICIELLE : *Non. Mais un parasite s'est branché sur notre salon particulier.*

GERMAIN : *Ah ! C'est Maxime ?*

La perspicacité de son vieil ami redoubla sa fureur.

SUPERMAX : *L'ORDINATUEUR a encore frappé !*

Logicielle resta un instant immobile, pétrifiée devant son clavier. Puis elle écrivit avec autant d'irritation que de fébrilité :

Germain ? Je dois m'interrompre. Je vous laisserai ce soir un message en BAL. À + !

Elle coupa la communication et éteignit son ordinateur. Elle s'apprêtait à saisir le combiné du téléphone lorsque celui-ci sonna. Elle décrocha. C'était Maxime, excité comme un pou :

– Écoute Logicielle, excuse-moi ! Voilà un quart d'heure que j'essaie de te joindre, mais ta ligne est occupée. Je me suis douté que tu étais connectée avec Germain.

– C'est pour me faire une scène de jalousie que tu m'as interrompue ? Ne me dis pas que c'était un mensonge ?

– J'aimerais bien ! Mais l'information vient de Delumeau. Lui aussi a essayé de te joindre. L'accident vient de se produire au 3, rue de l'Abreuvoir, à Saint-Ouen. Euh... je t'appelle d'une cabine tout près de chez toi. J'ai pensé...

– D'accord. Passe me prendre. Je suis en bas dans trois minutes.

Elle enfila une robe légère et brancha son répondeur.

Elle sortait du vestibule au moment où une moto freinait devant son immeuble. Maxime lui tendit un casque et l'invita d'un geste à monter derrière lui. L'engin bondit sur la chaussée, négocia un virage au ras du bitume et accéléra si brutalement que la passagère s'agrippa de toutes ses forces à la taille du conducteur. Logicielle ferma les yeux et se laissa griser par la vitesse. Lorsque la moto s'arrêta derrière les trois cars de police qui stationnaient rue de l'Abreuvoir, Logicielle aperçut Delumeau qui semblait les attendre. Il leur jeta :

– Eh bien vous avez mis le temps ! Dites-moi Logicielle, les ordinateurs ont vite provoqué des dégâts en région parisienne... À croire que vous avez transporté le virus.

Elle eut envie de lui répondre qu'elle n'était pas de service ce soir et qu'à sa connaissance, elle ne portait aucune responsabilité dans cette succession de décès. Elle se contenta d'ôter son casque sans rien dire.

– Vous voyez, vous n'aurez même pas besoin d'aller dans le Périgord pour mener votre enquête ! reprit Delumeau. Venez, c'est au quatrième.

Ils montèrent et entrèrent dans un vaste appartement occupé par plusieurs gardiens de la paix. Logicielle aperçut une femme d'une quarantaine d'années qui sanglotait dans un fauteuil. Delumeau expliqua :

– Ça s'est passé dans le bureau.

Ils empruntèrent un vestibule et Logicielle s'arrêta, frappée par la beauté des meubles : il y avait là une superbe crédence marquetée d'ivoire et d'ébène. Au-dessus d'un coffre de chêne sculpté qui devait dater du XVIIe siècle, était accroché un tableau représentant un intérieur hollandais. Une toile qui n'était signée ni Vermeer ni Rembrandt, mais qui n'aurait pas déparé dans un musée.

– Alors Logicielle ? Vous menez une enquête ou vous visitez l'appartement ?

– Excusez-moi. Mais je retrouve ici un intérieur qui me rappelle celui des victimes du Périgord : tous ces meubles anciens...

Delumeau renifla – ce qui équivalait chez lui à de l'agacement – parut réfléchir, puis haussa les épaules.

Logicielle entra dans le bureau. Elle y reconnut le docteur Waquier, de la criminelle, qui prenait des notes sur un carnet. À côté de lui gisait, sur un canapé, un homme d'une cinquantaine d'années vêtu d'une robe de chambre en soie. Malgré ses yeux fermés, le défunt avait le visage crispé sur une expression qui évoquait moins la souffrance que la panique ou l'horreur. Sa bouche était ouverte sur un cri inachevé.

Impressionnée, Logicielle détourna les yeux. Elle en avait pourtant vu d'autres.

– Bonjour Logicielle, dit Waquier sans cesser de griffonner à la hâte. Arrêt du cœur. Suffocation ou étouffement... Pour le reste, il faut attendre l'autopsie.

– Comment cela s'est-il passé ? demanda-t-elle en s'approchant de l'ordinateur.

Bien entendu, c'était un OMNIA 3. Son économiseur d'écran dessinait les figures géométriques habituelles. Il y avait, pensa Logicielle, une certaine ironie provocatrice dans ce ballet paisible qui se déclenchait automatiquement lorsque l'ordinateur n'était plus sollicité. Elle ne pouvait s'empêcher de penser qu'une heure auparavant, cet inconnu était là, assis devant son clavier, confiant et bien vivant – et qu'une mort effrayante et brutale l'avait surpris, jaillissant peut-être de l'écran...

D'un regard, elle nota la présence du lecteur de CDEX et elle alla s'asseoir face au clavier.

– D'après ce que nous a expliqué son épouse, dit Delumeau, monsieur Boulazac s'est enfermé ici vers sept heures du matin. À treize heures, il a refusé de venir déjeuner. C'est un peu avant vingt heures que madame Boulazac a été alertée par un cri de son mari. Elle s'est précipitée vers le bureau, mais la porte était fermée à clé. Elle a appelé des voisins, qui ont prévenu à leur tour les pompiers et le SAMU.

– Quelques minutes après, poursuivit le docteur Waquier, une fois la porte enfoncée, mon collègue du SAMU a trouvé monsieur Boulazac ici, à la place que vous occupez. Comme devant tout décès suspect, il nous a avertis. La victime n'était pas cardiaque. Rien ne laissait prévoir cette mort brutale.

Logicielle approcha sa main de la souris. Mais elle hésita, obsédée par l'expression de celui qui l'avait précédée sur ce fauteuil.

– Attends ! ordonna soudain Maxime.

Il examina le branchement de l'appareil, les connexions, le clavier...

– Vous pensez à quoi, Max ? demanda Delumeau.

– À un choc électrique. Ces modèles d'ordinateurs pourraient bien emmagasiner de l'énergie ou du courant, et les restituer brutalement au bout d'un certain temps, lorsqu'on effectue une certaine manœuvre.

Mais l'ordinateur était relié à la terre. Et la moue du docteur Waquier laissait entendre que l'hypothèse de Maxime était peu probable.

– Explorateur de programmes ? articula Logicielle face à l'écran.

Aussitôt, il s'illumina. Mais au lieu des fenêtres attendues, un mot s'inscrivit en lettres majuscules : *CODE ?*

Logicielle étouffa un juron. Elle libéra le tiroir du CDEX et un disque doré apparut. Elle devinait la présence des trois hommes qui la regardaient faire en silence.

– Quelque chose cloche ? demanda derrière elle Delumeau sur un ton presque affirmatif.

– Oui. La victime a protégé l'accès aux données avec un code secret.

– Et alors ? insista Delumeau.

Aux yeux du commissaire, l'informatique devait être une science exacte et infaillible ; et il semblait étonné que l'ordinateur n'affiche pas aussitôt sur l'écran les causes précises du décès de M. Boulazac et le nom de son assassin ! Malgré tous les efforts de Logicielle, la barre de menus n'apparaissait pas.

– Excusez-moi, mais j'y vois très mal...

La fenêtre du bureau, placée à l'opposé de l'ordinateur, projetait sur l'écran un carré de clarté. Il était pourtant près de vingt et une heures. Logicielle fit pivoter son siège en même temps que l'écran pour éviter ce reflet gênant. Et en esquissant ce geste, elle songea à la lampe chinoise d'Antoine Bron, que Germain avait dû éteindre car sa clarté se reflétait elle aussi sur l'écran. Intriguée, elle murmura à mi-voix :

– Je ne comprends pas pourquoi la victime a installé son ordinateur ici.

– Pardi ! s'exclama Delumeau. À sa place, j'aurais fait la même chose ! Regardez plutôt la disposition des meubles, Logicielle.

En réalité, cette pièce n'avait rien d'une cellule informatique : c'était à la fois un salon, un bureau et un musée. On y trouvait un canapé et deux fauteuils Louis XV, un bureau de style Empire recouvert d'un cuir luxueux et une bibliothèque anglaise en acajou où, derrière un fin grillage métallique, des bibelots précieux se mêlaient aux livres. L'OMNIA 3 avait été installé sur le bureau mais du côté opposé au fauteuil, comme s'il avait été destiné à un visiteur éventuel. Il fallait être bien naïf pour ne pas comprendre que cet emplacement entraînerait, sur l'écran, la présence perturbatrice du reflet de la fenêtre.

– Où se trouve le téléviseur dans votre salle de séjour, monsieur Delumeau ? Est-il à l'opposé de la fenêtre ? Avez-vous un reflet sur votre écran ?

– Je n'ai pas la télévision, Logicielle. Eh bien ?

– L'ordinateur est bloqué. J'aimerais interroger madame Boulazac.

D'un signe, Delumeau invita le docteur Waquier à le précéder dans le couloir. Avant de quitter le bureau, le commissaire déclara sur un ton sévère :

– Nous vous laissons Logicielle. À demain.

Sans doute espérait-il une solution à l'aube. Il sera déçu, songea Logicielle qui sentait le découragement l'envahir. Car sans le code, son enquête risquait de piétiner longtemps.

– Je peux faire enlever le corps ? demanda le médecin légiste.

– Oui. J'aimerais savoir si l'autopsie révélera la présence d'amphétamines...

Une fois les deux hommes partis, Logicielle s'aperçut que Maxime était resté debout derrière elle. Comme elle allait réagir, il affirma :

– Pas question que je te laisse. D'ailleurs je dois te raccompagner.

Il posa sa main sur son épaule et au lieu de l'irriter, ce geste l'attendrit. Confusément, elle devinait que Max, en bon chien de garde, voulait veiller sur sa sécurité. Jusqu'ici, il s'était montré très discret.

Pendant que Logicielle fouillait les tiroirs du bureau, le corps de M. Boulazac fut emmené sur une civière. C'est peu après que son épouse entra, les yeux humides et les traits tirés. Un garçon d'une quinzaine d'années l'accompagnait ; il semblait bouleversé, désigna l'OMNIA 3 et déclara à Logicielle :

– Je m'appelle Jean-Mi. C'est mon père qui a voulu que je lui installe cet OMNIA 3. Je m'y connais un peu en informatique – oh, moins que mon frère mais... Mademoiselle, croyez-vous que j'aie pu me tromper dans les branchements ? Ou dans la configuration ?

– Vous n'êtes pour rien dans la mort de votre père, coupa Logicielle. Quand a-t-il acheté cet ordinateur ?

– Il y a quatre mois environ.

– Madame, fit Logicielle en se tournant vers la veuve de M. Boulazac, votre mari prenait-il des médicaments ?

– Des médicaments ? Oh non, il était en parfaite santé.

– Mais ne l'avez-vous jamais surpris avec un verre ou un comprimé avant qu'il ne s'installe ici ? Du Taminox, par exemple ?

Elle fronça les sourcils ; ce nom lui était inconnu.

– Puis-je jeter un coup d'œil dans votre armoire à pharmacie ?

Logicielle n'y découvrit rien de suspect.

Quand elle revint dans le bureau, elle y trouva la mère et le fils prostrés sur le canapé.

– Jean-Mi, demanda-t-elle, tu utilises aussi cet OMNIA 3 ?

– Oh non ! assura le jeune homme avec une brève lueur de crainte dans le regard. Moi, j'ai un simple P. 10 que j'ai acheté d'occasion. C'est à la demande de mon père que j'ai installé quelques utilitaires.

– Tu savais qu'il en avait protégé l'accès au moyen d'un code ?

Jean-Mi rougit avant de répondre :

– Non. Je... ça ne m'étonne pas tellement.

– C'est très important, Jean-Mi. Je dois absolument accéder aux données. Je me doute bien que tu as essayé de te servir de cette machine ! Moi-même, je n'aurais pas résisté. Ce code, est-ce que tu le possèdes ?

– Non, avoua-t-il en baissant la tête. Il y a trois mois, mon père m'a surpris alors que je m'étais branché sur le Web.

– Monsieur Boulazac utilisait Internet ? demanda Logicielle en se tournant vers la veuve de la victime.

– Peut-être... Je ne sais pas très bien ce qu'est Internet.

– Moi, dit Jean-Mi, je le sais. Mon père m'a passé un de ces savons !

Logicielle sourit avec indulgence. Jean-Mi s'exprimait avec un accent chantant qui lui était familier et qui n'avait rien à voir avec celui de Saint-Ouen.

– C'est à partir de ce moment-là qu'il a protégé l'accès à l'OMNIA 3. Mais je ne connais pas le code, mademoiselle.

Devant ces révélations, Mme Boulazac ouvrait des yeux étonnés. Logicielle lui demanda à brûle-pourpoint :

– Y a-t-il longtemps que vous êtes installés à Saint-Ouen, madame ?

– Non. Moins d'un an.

– Auparavant, n'habitiez-vous pas le Sud-Ouest ? En Dordogne ? Peut-être dans la région de Bergerac ?

La mère de Jean-Mi resta un instant bouche bée.

– C'est exact ! Comment le savez-vous ?

– Ma foi : votre nom, votre accent...

– Nous habitions Sigoulès, à douze kilomètres au sud de Bergerac. Au début de l'an dernier, après la mort de notre... de mon fils aîné, mon mari a décidé de déménager pour la région parisienne.

– Pourquoi avoir choisi Saint-Ouen ?

Logicielle était intriguée : si elle avait eu les moyens des Boulazac et possédé un tel mobilier, c'est à Neuilly qu'elle se serait installée.

– À cause du marché aux puces, mademoiselle. Mon mari a acheté un local à Biron.

C'était la zone la plus chère et la plus chic du marché.

– Il était antiquaire, vous comprenez ?

Logicielle approuva. Maintenant, les points communs entre toutes les victimes apparaissaient mieux ; mais rien n'expliquait leurs morts brutales.

– Puis-je jeter un coup d'œil sur le carnet d'adresse de votre époux ?

Mme Boulazac se pencha vers le porte-documents qui se trouvait au pied du canapé. Elle en sortit un calepin en cuir qu'elle confia à Logicielle. Lui désignant le téléphone, elle ajouta :

– Vous trouverez aussi les noms et les adresses de ses principaux clients dans le répertoire, sous l'appareil. Vous pensez que… ?

– Je ne pense rien, madame. J'essaie de rassembler un maximum d'éléments. Je vous demanderai de garder ce bureau dans l'état.

Mme Boulazac approuva, sortit un mouchoir, se tourna vers son fils.

– Viens, Jean-Mi. Laissons la police travailler.

Dès qu'ils furent sortis, Max poussa un sifflement d'admiration.

– Eh bien chapeau, lieutenant Logicielle ! Bon sang, comment as-tu deviné que les Boulazac venaient de Bergerac ?

– Ma foi, c'est là que résidaient les cinq premières victimes. Que la sixième habite en banlieue parisienne, ça faisait un peu désordre.

– Tout de même, tu m'as épaté !

– Je peux renouveler ce petit coup d'éclat, tu sais. Je crois disposer d'autres faisceaux de présomptions aussi spectaculaires…

– Lesquels ?

Elle désigna l'ordinateur dont l'économiseur d'écran dessinait ses interminables figures géométriques.

– Le dernier programme utilisé par Boulazac

s'appelle LTPG, j'en suis sûre. Je suis prête à t'offrir une moto neuve si je me trompe.

– Facile à affirmer, puisque tu n'as pas le code d'accès !

– Je parierais aussi que certains noms sont inscrits sur ce carnet, dit Logicielle en agitant l'agenda de la victime.

– Lesquels ? demanda Max.

D'un geste, il s'empara du carnet. Logicielle se contenta de sourire.

– Eh bien Lavigne, par exemple. J'en mettrais ma main à couper.

– Inutile. Je te parie un repas au restaurant qu'il n'y figure pas !

– Tu triches, lui dit-elle. Je sais que tu joues pour perdre.

– Et j'ai perdu. Dominique Lavigne, impasse du Château, 24560 Issigeac. Incroyable !

– Tu permets ?

Logicielle reprit l'agenda dont les dernières pages servaient de répertoire. Elle le feuilleta et murmura :

– Bron et Maruani y figurent aussi ! Mais ni Carrier ni Sauzon…

– Ainsi, les victimes se connaissaient ?

– C'est moins étonnant qu'il n'y paraît, Maxime. Jean Boulazac était antiquaire et Lavigne brocanteur. J'ignore quel métier exerçait Maruani mais les activités des victimes favorisaient leurs rencontres : ils devaient se voir pendant les salons ou les foires à la brocante, les ventes aux enchères…

– Tu ne m'as pas dit qu'Antoine Bron était négociant en vins ?

– En effet.

Logicielle revit en mémoire l'appartement de la victime d'Eymet, avec son superbe coffre Renaissance.

– Tu sais Maxime, les commerçants d'une région se connaissent et se fréquentent. Je demanderai à Germain de me transmettre la liste des clients d'Antoine Bron. À mon avis, nous y trouverons la plupart des noms des victimes.

Elle éteignit l'ordinateur. L'écran s'obscurcit. Dans le bureau, le silence se fit. La bibliothèque anglaise émit un faible craquement, comme pour protester contre sa situation incongrue, ici, au quatrième étage d'un immeuble de banlieue. À l'étage supérieur, le son trop haut d'un téléviseur diffusait les coups de feu en rafales d'une série américaine. Logicielle songea à ces fausses victimes qui succombaient pour rire et à M. Boulazac qui, lui, était vraiment mort ici, devant son écran.

– Je te dois un repas au restaurant, dit Max. Et si on y allait maintenant ?

– C'est gentil, Max, mais j'ai déjà dîné. Par contre, je serais très contente que tu me raccompagnes à moto.

Delumeau piétinait sur le palier du premier étage. Visiblement, il l'attendait. Il grimaça un sourire et la prit par l'épaule.

– Eh bien c'est officiel, Logicielle : vous êtes chargée de cette affaire de morts devant ordinateur. Dites-moi, vous avez du nouveau ?

L'amabilité soudaine de son supérieur la surprit. Elle joua la prudence :

– Depuis hier soir ? Pas vraiment. Je rassemble des indices. Par exemple, toutes les victimes...

– Oh, je vous fais confiance Logicielle.

Delumeau balaya l'air de la main ; il ne tenait pas à s'encombrer avec les détails de l'enquête.

– Dites-moi, quand pensez-vous aboutir ?

– Quand ? Mais... j'ignore ce que je cherche, monsieur Delumeau ! Nous ne pouvons pas mettre en garde à vue les OMNIA 3 qui sont en circulation, n'est-ce pas ?

– En effet, il ne faut pas affoler leurs utilisateurs. Vous devez découvrir au plus vite ce qui a causé la mort de ces six personnes. Et veiller à ce que cette série ne s'allonge pas !

Logicielle se mordit les lèvres. Deux envies la démangeaient : avertir tous ceux qui, aux alentours de Bergerac, travaillaient sur un OMNIA 3 car ils couraient peut-être un risque ; et prévenir les gens dont les noms figuraient sur les agendas des victimes. Ces précautions ne feraient pas avancer l'enquête, mais elles éviteraient sûrement de nouveaux décès.

– Vous avez carte blanche, reprit Delumeau. Vous travaillez, je crois, avec votre collègue de Dordogne ? L'inspecteur Julien ?

– Germain. Il s'appelle Germain. Germain Germain Germain.

– Germain trois fois ? Et pourquoi ?

– Oh, ce serait trop long à expliquer[1]. Et dans le cadre de notre enquête, je crois que c'est sans importance.

Logicielle appela le commissariat de Bergerac. Elle résuma à Germain ce qui avait causé l'interruption de leur communication de la veille.

– De plus, ajouta-t-elle, je suis chargée de l'enquête. C'est maintenant officiel. Je ne sais pas si vous y êtes pour quelque chose…

– Pour rien ! Je vous jure.

Germain semblait sincère. Les ordres venaient donc de plus haut.

– Mais j'en suis ravi, Logicielle. Viendrez-vous à Bergerac ?

– Pas pour l'instant. Mais cela ne nous empêchera pas de travailler ensemble… Pourriez-vous obtenir des précisions sur les métiers des deux premières victimes ? Et récupérer leurs carnets d'adresse ?

1. Lire *Coups de théâtre*, même auteur, même collection.

– Julien Carrier était agent immobilier. Edmond Maruani avait une petite entreprise de meubles, il fabriquait des copies d'anciens. Sauzon, lui, possédait un dépôt-vente dans les faubourgs de Bergerac.

– Sur les six victimes, cinq travaillaient donc dans le milieu des antiquaires, de la brocante ou des meubles !

– Autre chose, ajouta Germain. Une impression que confirment tous mes interrogatoires : les victimes n'étaient guère sympathiques. Dans le genre nouveaux riches, âpres au gain, vous voyez ?

Logicielle repensa à la personnalité de l'antiquaire de Saint-Ouen.

– Oui, répondit-elle. Mais ce que je vois mal, c'est un ordinateur qui décide tout à coup de supprimer son utilisateur parce que sa tête ou sa moralité ne lui convient pas !

Peu avant midi, plusieurs fax tombèrent les uns après les autres : les pages des carnets d'adresse de quatre des cinq victimes de Dordogne. Germain avait fait vite. Le dernier feuillet comportait un message manuscrit :

C'est vous qui avez le carnet d'Antoine Bron – ou plutôt son agenda électronique. Bon courage ! Germain.

D'un coup d'œil, elle nota que certains défunts possédaient les coordonnées de deux ou trois autres victimes.

– Donc ça avance ! lui dit Max d'un air réjoui lorsqu'ils se retrouvèrent face à face pour déjeuner.

– Ça piétine, au contraire ! Je rassemble des tas de points communs, c'est vrai. Mais la cause des décès reste toujours obscure ! Ce qu'il faudrait, c'est explorer le contenu d'un OMNIA 3. L'accès aux ordinateurs de Lavigne et d'Antoine Bron n'est pas protégé. Peut-être sont-ils encore en place. J'ai envie de filer à Bergerac pour...

– Encore ? grogna Max. Et si je trouvais le code d'accès à l'OMNIA 3 de l'antiquaire de Saint-Ouen, hein ? Ce serait plus simple de travailler chez lui.

– As-tu une idée du nombre de possibilités ?

– Oui. Mais j'envisage deux hypothèses. Ou bien Boulazac avait l'esprit retors, et il a imaginé un code impossible du genre 49389YRT 583Q9W. Ou bien il a utilisé les chiffres de sa date de naissance, du numéro de la plaque d'immatriculation de sa voiture... bref, quelque chose que nous pourrions vite deviner avec l'aide de sa femme et de son fils.

– D'accord. Et si ta première hypothèse est la bonne ? S'il a imaginé un code tordu ?

– En ce cas, il n'aura jamais pu l'apprendre et s'en souvenir. Il l'aura donc noté quelque part. À portée de son clavier.

Logicielle, qui s'apprêtait à finir ses fraises chantilly, interrompit la course de sa petite cuiller. Elle gardait toujours la crème pour la fin, par gourmandise. D'ailleurs, depuis le début de cette affaire, elle s'était remise à manger beaucoup trop. C'était souvent ainsi, lorsqu'elle butait sur un problème. Mais là, elle se leva et abandonna son dessert.

– Bon. Tu as ta moto, Max ? Que dirais-tu d'une petite virée à Saint-Ouen ?

– Ah, mademoiselle... Oh pardon : inspecteur.

– C'est sans importance, madame Boulazac, dit Logicielle qui ajouta en désignant Max : c'est mon collègue, nous pouvons entrer ?

– Bien sûr ! D'ailleurs je suis contente que vous passiez. J'ai du nouveau.

– Du nouveau ?

Mme Boulazac rougit, comme l'avait fait son fils la veille.

– Oui, bredouilla-t-elle. Ce matin, bien que vous m'ayez demandé de ne rien toucher dans le bureau de mon mari, j'ai passé l'aspirateur et vidé la corbeille à papier. J'ai... Voilà : j'ai trouvé quelque chose. Vous aviez raison, mademoiselle.

Elle les entraîna jusqu'au bureau. La corbeille était à moitié pleine de papiers froissés et de mégots. Mme Boulazac en extirpa une petite boîte en carton. Du Modiol.

– Vous m'aviez demandé si mon mari prenait des médicaments, n'est-ce pas ?

La boîte était vide. Logicielle prit la notice, la parcourut et traduisit :

– C'est un modificateur de l'horloge biologique. Un remède réservé aux hypersomniaques, aux gens qui travaillent la nuit ou à ceux qui doivent rester éveillés après un voyage en avion suivi d'un décalage horaire... Votre mari allait à l'étranger, madame ? Travaillait-il la nuit ? Avait-il des crises de somnolence brutale dans la journée ?

– Pas du tout. Et j'ignorais qu'il utilisait ce médicament.

– Vous avez le numéro de son médecin traitant ?

– Je... C'est vous qui l'avez, mademoiselle. Il est sur son calepin.

Logicielle appela le médecin, se présenta, demanda les raisons de la prescription, posa quelques questions et raccrocha.

– Je suis navrée, dit-elle en évitant de regarder Mme Boulazac, mais votre mari a menti à son médecin pour obtenir ce médicament. Il n'est délivré que sur ordonnance.

– Croyez-vous que ce... ce Modiol... ?

– Non. Ce médicament ne peut en aucun cas être la cause de sa mort. Votre mari désirait travailler longtemps sur son OMNIA 3 sans que son attention faiblisse.

– Maintenant que vous me le dites, mademoiselle... Je me souviens qu'en mai dernier, Jean s'est souvent enfermé la nuit dans son bureau. Un soir, je suis montée demander à mes voisins de baisser le son de leur téléviseur. Ils m'ont rétorqué que c'étaient eux qui avaient des difficultés à dormir ! À cause de la musique et des voix qui venaient de chez nous.

– De chez vous ?

– Oui. J'ai compris que c'était sans doute l'ordinateur de Jean.

– Et vous n'avez pas demandé à votre mari

ce qu'il faisait ? Quel genre d'activité l'obligeait à veiller si longtemps ?

– Oh non, mademoiselle !

Il y avait tant de vivacité et de respect dans cette réponse que Max adressa une grimace discrète à Logicielle. Jean Boulazac ne devait pas être quelqu'un de facile à vivre.

– Madame, pourriez-vous nous donner votre date de naissance, celle de votre mari et de vos proches ? ... Il se peut que votre époux ait utilisé un chiffre ou un nom familier en guise de code. Et pour déterminer les causes de sa mort, il nous faut absolument accéder aux données de son ordinateur.

– Je comprends.

Elle se plia de bonne grâce à l'exercice, recopia des dizaines de chiffres et de noms sur une feuille puis les laissa seuls dans le bureau.

Aussitôt, Max s'assit sur le siège pivotant et se frotta les mains.

– Bon. Où a-t-il pu inscrire ce numéro ?

De sa place, il ne pouvait saisir aucun cahier, aucun livre, aucun document. Il examina l'ordinateur, regarda sous la table, à la recherche d'une inscription quelconque.

– Eh bien, soupira-t-il, il ne nous reste plus qu'à tester tout ce qui se trouve sur cette liste... Logicielle, il y a un reflet sur l'écran, tu peux fermer les doubles rideaux ?

– Inutile. Fais pivoter ton siège.

Elle lui dicta l'un après l'autre les noms et les chiffres qui figuraient sur la liste de

Mme Boulazac. Invariablement s'affichait en lettres majuscules : *ERROR*.

Ils testèrent les numéros de téléphone de l'agenda et ceux des factures qu'ils découvrirent dans les classeurs ; ils feuilletèrent les livres de la bibliothèque dans l'espoir d'y dénicher, noté sur le revers d'une couverture, le fameux code d'accès.

En vain.

À quatre heures de l'après-midi, découragée, Logicielle s'affala sur le bureau.

– C'est épuisant ! Je comprends qu'on prenne des médicaments pour tenir le coup...

Elle considéra un instant la boîte vide de Modiol qui était restée posée à côté du clavier. Machinalement, elle frappa, face à l'écran qui affichait obstinément : CODE ? les six lettres du mot *MODIOL*.

Aussitôt, une petite musique jaillit des haut-parleurs latéraux de l'OMNIA 3. La barre de menus s'afficha sur l'écran et une voix masculine déclara, avec une amabilité mesurée :

– *Bonjour monsieur Boulazac... Que souhaitez-vous faire, aujourd'hui ?*

– Eh bien voilà ! murmura Logicielle en se calant sur son siège pivotant. À nous deux maintenant...

Quand Logicielle sortit du parking souterrain où elle avait garé sa voiture, il était huit heures du soir. Elle s'apprêtait à entrer dans le vestibule de son immeuble quand son attention fut attirée par deux véhicules en stationnement. L'un était une luxueuse limousine aux vitres teintées, l'autre une fourgonnette sur laquelle figuraient, dessinés à l'aérographe, un superbe ordinateur géant et le slogan :

L'OMNIA 3
L'ORDINATEUR DE VOTRE AVENIR !

– Madame l'inspecteur ?

L'homme qui l'interpellait sortit du porche de l'immeuble et s'approcha. Il était de petite taille, Logicielle nota qu'il lui arrivait à peine à l'épaule. Âgé d'une soixantaine d'années, il portait une chemisette à fleurs très voyante. Il lui tendit la main.

– Je m'appelle Kosto. François-Paul Kostovitch, dit « Kosto ». C'est ridicule, n'est-ce pas ?

Il eut un triste sourire et prit son interlocutrice par le bras pour l'entraîner vers la limousine. Logicielle s'immobilisa, sur ses gardes. Mais le sobriquet du nouveau venu lui était familier, même si elle était sûre de ne l'avoir jamais rencontré. On n'oubliait ni le nom ni la taille d'un tel individu.

– Excusez-moi, je ne me suis pas présenté : je suis le P.D.G. de NCF : Neuronic Computer France, la société qui fabrique les OMNIA 3. Vous êtes bien le lieutenant de police chargé de l'enquête sur les morts devant ordinateur ?

– En effet. Mais comment savez-vous... ?

– Oh, tout finit par se savoir, mademoiselle, soupira le petit homme. Tenez, fit-il en sortant un journal du dossier qu'il tenait sous le bras. Vous avez lu les dernières nouvelles ?

Le plus grand quotidien du soir affichait en gros caractères, sur sa première page : *L'ORDINATUEUR !* Le sous-titre, à peine plus discret, précisait : *L'OMNIA 3 A ENCORE FRAPPÉ !*

– Voyez-vous mademoiselle, les journalistes aussi sont très bien renseignés.

Logicielle parcourut l'article. Il y était question des six victimes du mois précédent et surtout de l'engin dont la fiabilité était mise en cause. Sous une photo de l'OMNIA 3 figurait la question :

Cet ordinateur donne-t-il la mort ?

– Pouvons-nous parler un instant ?

– Venez chez moi, proposa Logicielle. Nous y serons plus à l'aise.

À peine arrivé dans le studio, le P.D.G. s'approcha de l'ordinateur qui était installé dans un angle de la pièce. Il hocha la tête avec satisfaction.

– Ma foi, vous n'êtes déjà pas si mal équipée.

Un bourdonnement retentit. M. Kosto sortit de la poche de sa chemisette un minuscule téléphone mobile et déclara sèchement :

– Non… Non, je ne le prends pas. Je ne veux plus aucune communication jusqu'à mon retour dans la voiture. Ne me dérangez plus, merci.

Logicielle ouvrit son frigo et en sortit une bouteille de jus de fruits. Le P.D.G. de Neuronic Computer France s'assit, soupira, but et essuya son front ridé d'un air las. Logicielle avait une autre idée des responsables des grands trusts informatiques. Elle se les représentait grands, jeunes, dynamiques, sportifs. Seule la chemise de François-Paul Kostovitch était conforme à l'image qu'elle s'en faisait. La chaleur excessive devait expliquer cette extravagance inhabituelle : le P.D.G. de NCF était sans doute habitué aux costumes trois pièces.

– Mademoiselle, cette visite n'a bien sûr qu'un caractère privé.

Il renonça à poursuivre et réfléchit, ce qui accentua les rides de son front. Enfin, il déclara comme on se jette à l'eau :

– Je sais que ma conviction intime va vous paraître ridicule, mademoiselle, mais les OMNIA 3 ne sont pas des ordinateurs dangereux. En fait, cette conviction est étayée par les conclusions de nos meilleurs techniciens.

Il ouvrit son dossier et désigna les rapports qu'il contenait.

– Dès que nous avons eu connaissance des premiers accidents, nous avons démonté les appareils mis en cause, vérifié les connexions, pratiqué des milliers d'essais... La mémoire à réseau de neurones est une technologie d'avenir, mademoiselle. Elle est d'une grande fiabilité et ne présente absolument aucun danger.

– J'en suis persuadée, monsieur Kosto.

Le P.D.G. leva vers Logicielle des yeux étonnés.

– Comment ? Vous...

– Oui. Je ne crois pas que les OMNIA 3 soient directement responsables de la mort de ces six personnes. En fait, je m'intéresse surtout à un logiciel que les victimes auraient utilisé juste avant de mourir.

– LTPG ?

Logicielle bondit, s'exclama :

– Ainsi, vous savez ?

– Pardi ! Nos techniciens ont la même conviction que vous. Je vois que vous avez déjà accompli du bon travail...

Une lueur d'espoir s'était allumée dans le regard de François-Paul Kostovitch ; mais elle s'était presque aussitôt éteinte.

– Seulement voilà : les CDEX qui renferment ce programme sont vides. Ou plutôt ils ont été vidés après que leurs utilisateurs ont péri.

– Comment est-ce possible ?

– Si je le savais, mademoiselle, je ne serais pas ici pour en parler avec vous. L'explication la plus plausible à laquelle nous avons pu aboutir aujourd'hui est celle-ci : un bidouilleur de génie a mis au point un programme de quatre-vingt-trois gigaoctets. Un programme qui possède un défaut – attention, je n'ai pas dit un virus – un défaut ou un pouvoir meurtrier. Si bien que son utilisateur, à un moment donné, succombe. Et automatiquement, le CDEX est vidé !

Le P.D.G. se dirigea vers l'ordinateur et reprit :

– Bien sûr, vous connaissez sûrement ces programmes de jeu que les adolescents affectionnent ? Le manipulateur s'identifie à un super-héros qui affronte des ennemis : il doit éviter des mines, abattre des monstres... Eh bien dans le cas du programme LTPG, nous avons sans doute une sorte de pistolet chargé, pointé en permanence sur celui qui manipule le clavier. Et à la moindre fausse manœuvre, pan ! Il lui tire dessus. Une fois le coup parti, l'arme et son inventeur disparaissent avec le contenu du jeu ! Autrement dit, c'est un crime parfait.

Kosto revint s'asseoir face à Logicielle.

– L'ennui mademoiselle, c'est qu'un écran n'a jamais tué personne. Ah, s'il s'agissait d'un logiciel de réalité virtuelle, peut-être aurions-nous un doute car quelques accidents ont eu lieu. Mais nos OMNIA 3 ne sont pas assez puissants pour la réalité virtuelle. D'ailleurs les victimes ne possédaient ni casque ni scaphandre, n'est-ce pas ?

– En effet. Mais ce programme LTPG ?

– Nous ignorons de quoi il s'agit.

Le P.D.G. sortit un CD-Rom de son dossier et poursuivit :

– Vous trouverez ici la liste des logiciels en

vente ou en circulation dans le monde entier. Aussi bien sous forme de CD-Rom que de CDEX. Bien entendu, on n'y trouve rien au nom de LTPG.

– C'est donc un programme clandestin.

– Sans doute. Un programme comme s'en procure aujourd'hui n'importe quel abonné d'Internet. Car le bidouilleur qui a mis au point ce logiciel diabolique doit le vendre ! Bien sûr, il se cache derrière un pseudonyme et possède une carte bancaire sous un faux nom. Si je veux lui acheter LTPG, je lui verse la somme qu'il en demande sur ce compte et il me télécharge* son logiciel ; grâce au récent réseau de satellites, j'enregistre les quatre-vingt-trois gigaoctets en trois minutes sur le CDEX réinscriptible que j'ai placé dans mon lecteur… et le tour est joué !

– N'y a-t-il vraiment pas de risque ? demanda Logicielle. Après que l'acheteur a payé, rien n'oblige le vendeur à procéder au téléchargement !

Le P.D.G. haussa les épaules.

– Sur le Net*, la confiance règne, vous le savez. Et il ne s'agit hélas pas d'une arnaque ! LTPG existe et cause d'énormes dégâts.

– Vous recherchez donc celui qui a mis ce programme au point ?

– Attention mademoiselle, n'inversons pas les rôles !

M. Kosto fit reculer son siège.

– D'abord, c'est vous la police ; c'est vous qui devez résoudre le problème et découvrir qui est responsable de ces morts à répétition. Songez aussi, mademoiselle, que cet inconnu ignore peut-être les ravages que provoque son invention.

– C'est peu probable, dit Logicielle. À mon avis, c'est là un acte malveillant. Je dirais qu'il est diaboliquement intentionnel. Notre homme a fait preuve d'une ingéniosité redoutable !

Le P.D.G. adressa à son interlocutrice un sourire reconnaissant.

– C'est aussi notre conviction. Mais une fois encore, vous évoquez un homme, mademoiselle. Il peut s'agir d'une femme. Ou encore d'un groupe d'informaticiens très avertis.

– Monsieur Kosto, avez-vous envisagé la vengeance d'un de vos employés ? Je ne sais pas moi... par exemple un technicien qui n'aurait pas obtenu la promotion qu'il espérait ?

Le petit homme sortit un nouveau CD-Rom du dossier. Décidément, il avait pensé à tout. Voilà quelqu'un, songea Logicielle, qui ne risquait pas d'être accusé d'entrave à l'action de la justice.

– Une vengeance ? C'est une hypothèse à ne pas écarter. Vous trouverez ici la liste de nos employés. Il y en a plus de trente mille, disséminés en Europe et en Asie du Sud-Est. Au cours de son ascension, il est vrai que le petit Kosto a dû se faire quelques ennemis.

Il esquissa un sourire un peu amer. Il était facile à François-Paul Kostovitch de se moquer aujourd'hui du surnom dont la presse spécialisée l'avait affublé. Il pesait assez de millions pour en rire.

– Mais nos meilleures recrues sont très bien payées. Nous travaillons avec des gens passionnés. Par ailleurs, nous ne sommes pas spécialisés dans les programmes, mais dans les réseaux de neurones et les technologies de pointe. Autrement dit, je ne pense pas que l'inventeur de LTPG soit l'un de nos employés. Nous n'avons procédé à aucun licenciement injuste ou abusif. Au contraire, étant donné l'excellente expansion de notre entreprise, nous n'avons cessé de recruter pendant ces trois dernières années. Mais cette tendance va s'inverser brutalement dans les jours qui viennent.

Il désigna, sur la table, le journal posé près du dossier.

– C'est clair : demain, le cours de Neuronic Computer France descendra en chute libre. Les ventes d'OMNIA 3 baisseront de façon spectaculaire. Peut-être même vont-elles stopper s'il se produit de nouveaux accidents.

S'approchant de la fenêtre, il regarda avec nostalgie la fourgonnette et son slogan racoleur. Logicielle murmura la formule à mi-voix, elle avait d'abord cru lire : *L'ORDINATUEUR de votre avenir*.

– Ce modèle, mademoiselle, représentait l'espoir de notre firme. Et si vous n'éclaircissez pas cette affaire au plus vite, nous risquons de mettre la clé sous la porte avant la fin de l'année.

Elle hocha la tête, embarrassée.

– Je vais faire mon possible.

– Faites l'impossible, mademoiselle. Et n'hésitez pas à me contacter si vous avez besoin de quoi que ce soit pour que votre enquête progresse. Voici mon numéro personnel. Vous pourrez me joindre jour et nuit. Disposez-vous d'un bon véhicule ? Êtes-vous abonnée à Internet ?

– Oui.

Il sortit un chéquier de sa poche et l'ouvrit puis se ravisa.

– Attendez. Ne croyez pas qu'il s'agisse de corruption de fonctionnaire. Mais je sais que vous ne disposez pas d'énormes moyens dans la police. Et mon souci est que vous ne soyez pas retardée par de stupides problèmes de budget.

– Oh, je n'ai pas besoin d'argent, monsieur Kostovitch. Par contre, ce qui me rendrait service...

– Oui ?

– Eh bien ce serait que vous me confiiez un OMNIA 3.

– C'était prévu, dit le petit homme en dégainant son téléphone portable. Je ne serais pas parti sans vous en laisser un.

Quelques instants plus tard, deux techniciens entraient dans le studio et déballaient d'un grand carton un ordinateur flambant neuf. Comme ils s'apprêtaient à en expliquer le mode d'emploi à Logicielle, elle leur avoua :

– Je possède la documentation de l'appareil. Et j'ai déjà eu l'occasion de m'exercer sur l'un d'entre eux.

Une lueur d'intérêt ou d'admiration s'alluma dans les prunelles du P.D.G.

– Au départ, avoua-t-il à Logicielle, j'ai été surpris et même inquiet qu'on ait confié cette enquête à une si jeune femme. Mais je constate que vos supérieurs ont effectué le bon choix. Vous avez toute ma confiance, mademoiselle. Nos espoirs sont désormais entre vos mains.

Comme pour passer de la parole aux actes, il saisit les deux mains de Logicielle et les secoua longuement, avec une force qu'elle n'aurait pas soupçonnée chez un individu d'un aussi petit gabarit.

– Tenez-moi au courant de la progression de vos recherches... dans la limite de ce que la déontologie vous permet, bien entendu. Je vous souhaite bonne chance. À très bientôt.

Elle s'apprêtait à le raccompagner, mais le P.D.G. était déjà sorti avec ses deux techniciens. Elle entendit les pas multipliés des trois hommes dévaler l'escalier, et observa par la fenêtre le départ de la limousine et de la fourgonnette. En se retournant, elle manqua buter contre son vieil ordinateur. Les techniciens l'avaient posé sur la moquette. Son regard remonta vers l'OMNIA 3.

Le P.D.G. de Neuronic Computer France avait pensé à tout : l'ordinateur était équipé de deux lecteurs de CD-Rom, d'une unité de sauvegarde et d'un lecteur de CDEX. Elle découvrit près du clavier plusieurs boîtes de disquettes, un paquet de CDEX vierges, et une jolie collection de programmes d'une grande diversité.

Il était vingt-deux heures. Logicielle eut la tentation d'appeler Germain ou Max pour leur relater les événements de la soirée ; mais elle y renonça. Il y avait une certaine ivresse, reconnut-elle, à se retrouver seule face à ce monstre. Elle ressentait une étrange impression de clandestinité et de désarroi. Elle s'installa devant l'OMNIA 3.

L'immense fenêtre obscure de son écran semblait la défier. Logicielle s'aperçut que son cœur battait plus vite qu'à l'accoutumée. Avant de mettre l'ordinateur en fonction, elle attendit que se dissipe un peu l'appréhension qui la tenaillait. Mais plus le silence et l'attente se prolongeaient, plus son angoisse grandissait. Elle grommela :

– Eh... tu ne vas pas te laisser impressionner par une machine, ma vieille !

Elle alluma l'ordinateur et murmura à l'écran :

– Maintenant, à nous deux...

Le sigle NCF s'inscrivit et une voix féminine jaillit des haut-parleurs :

– *Bonjour. Je suis l'OMNIA 3, un ordinateur à mémoire neuronique de la troisième génération. Je ne possède pas de disque dur mais une mémoire vive de cent vingt-huit gigaoctets, dont la puissance est mille fois supérieure à celle des ordinateurs de la génération précédente. Je possède des commandes vocales et oculaires. Si vous souhaitez utiliser mes capacités au maximum, je vous invite à initialiser ces fonctions dès maintenant.*

Logicielle n'hésita qu'un instant. Puis elle suivit les indications fournies par l'ordinateur : elle fixa pendant vingt secondes le point rouge qui apparut au centre de l'écran pour que l'OMNIA 3 effectue la reconnaissance oculaire ; elle consacra un quart d'heure à lire le texte qui défila sur l'écran afin que l'ordinateur enregistre les variantes possibles des phonèmes de sa voix.

– *Cette opération devra être renouvelée pour chacun de mes utilisateurs. Sous quel nom désirez-vous que l'OMNIA 3 s'adresse à vous ?*

Elle faillit livrer un pseudonyme mais se

ravisa. Les victimes avaient révélé leurs noms véritables. Seul Lavigne n'avait jamais initialisé les commandes vocales de sa machine.

– Logicielle, dit Logicielle.

– *Souhaitez-vous enregistrer dès à présent les coordonnées oculaires et vocales d'un autre utilisateur ?*

– Non.

– *Maintenant vous allez choisir ma voix et mon niveau de langage. Vous pouvez me donner un visage : celui-ci apparaîtra dans une petite fenêtre lorsque nous dialoguerons.*

Logicielle y renonça ; elle aurait dû scanner une photo ou jouer avec les possibilités de morphing* de l'appareil. Sans réponse, l'ordinateur conserverait la voix et le niveau de dialogue neutre et poli d'origine. Elle choisit le tutoiement et opta pour l'une des voix masculines proposées par la bande son. Bien qu'elle jugeât cette conviction absurde, un ordinateur, pensait-elle, était plutôt du genre masculin.

– *Désormais,* annonça l'OMNIA 3 avec un superbe timbre mâle et velouté, *ces indications seront susceptibles d'être transmises aux programmes que tu utiliseras. Es-tu d'accord avec cette procédure ?*

– Je suis d'accord, dit Logicielle après une seconde de réflexion.

Le tutoiement brutal l'avait choquée ; mais ce n'était là qu'une convention, qu'elle pourrait modifier à n'importe quel moment.

– *Eh bien Logicielle,* reprit l'OMNIA 3, *que souhaites-tu faire aujourd'hui ?*

Elle glissa dans le lecteur le CDEX qu'elle avait récupéré chez Sauzon.

– J'aimerais connaître le contenu de ce disque.

– *Ce CDEX double face et multicouche est vierge et réinscriptible. Il peut contenir jusqu'à cinq cents gigaoctets.*

Logique. Pourquoi eut-elle cette brève déception ?

– Ce qu'il me faut à présent, murmura Logicielle face à l'écran, c'est découvrir et me procurer le programme LTPG. As-tu une idée de la marche à suivre ?

– *Je ne comprends pas ta question, Logicielle. Peux-tu la reformuler autrement ?*

– Finalement, tu n'es qu'une machine stupide et bornée, non ?

L'OMNIA 3 resta muet. Était-il sourd aux insultes ? N'y répondait-il que lorsqu'il dialoguait avec le niveau de langage familier ?

Les possibilités de son nouveau jouet restaient limitées. Elle soupira :

– Bon… Je voudrais me brancher sur le Net.

L'OMNIA 3 possédait un modem* qui rendait cette opération ultra-rapide. Logicielle déposa la même annonce dans un grand nombre de salons : *Qui peut me procurer le programme LTPG ? Merci de me laisser un message en BAL !*

L'horloge intégrée indiquait 01 h 22. Il était trop tard pour joindre Germain. Elle l'appellerait du commissariat le lendemain. Elle éteignit l'ordinateur et sursauta lorsque, une seconde plus tard, la voix masculine de l'OMNIA 3 murmura :

– *Bonsoir Logicielle. Je te souhaite une bonne nuit.*

Elle se retourna. À la réflexion, il n'y avait là rien de magique. Sans bien s'expliquer pourquoi, elle prit cependant la précaution de faire pivoter l'écran vers le mur avant de se coucher.

Le sommeil fut long à venir. Elle songeait qu'elle n'avait pas répondu à la formule de politesse du nouveau venu. Et elle se demandait si elle n'aurait pas dû.

– Que vous travailliez ici ou chez vous n'a aucune importance, dit Delumeau. Vous pouvez apporter votre OMNIA 3 au bureau. Et partir enquêter dans le Périgord si vous le jugez nécessaire. L'essentiel est que vous aboutissiez au plus tôt, vous comprenez ?

Le commissaire était moins aimable que la veille. Et Logicielle savait que sa mauvaise humeur irait en augmentant si l'enquête piétinait.

– Alors comme ça, tu laisses les vieux messieurs t'offrir des cadeaux somptueux ?

Elle leva la tête vers Maxime qui la considérait en souriant. Le jeune homme désigna Delumeau qui s'éloignait dans le couloir :

– Le patron m'a raconté. Kosto t'a donné un OMNIA 3 ?

– Simple dépôt, Max. D'ailleurs, je t'avoue que je serai plus tranquille quand cette machine sera repartie... Eh bien tu n'as rien à faire ce matin ?

– Je suis à ta disposition, lieutenant, fit Max en claquant des talons. Ordre du chef.

– Parfait. Tu vas retourner chez Boulazac à Saint-Ouen et fouiller son bureau. Tu devrais y trouver des magazines d'informatique ou de la documentation.

– Que cherches-tu ?

– Une publicité ou une petite annonce concernant la vente d'un programme LTPG.

– Bien vu, dit Max en hochant la tête. Demande donc à Germain d'effectuer la même fouille dans l'appartement des victimes du Périgord. Et recommande-lui d'examiner de près leurs agendas.

– C'était au programme. Croyais-tu que j'allais attendre ton retour en me tournant les pouces ?

Une fois Maxime parti, Logicielle téléphona au commissariat de Bergerac. Germain était ravi du tour que prenait l'enquête.

– J'envoie une équipe de trois hommes au domicile des victimes, lui dit-il.

Logicielle essaya de joindre au téléphone la rédaction des principaux magazines d'informatique.

– LTPG ? Qu'est-ce que c'est encore que cette bête-là ?

– Un programme pirate de quatre-vingt-trois gigaoctets. Ça ne tourne que sur un OMNIA 3. J'aimerais savoir si vous avez passé une petite annonce qui...

– Et vous voudriez qu'on en retrouve la trace ? Mais nous passons chaque semaine des milliers de petites annonces ! Elles occupent des centaines de pages. J'ai autre chose à faire que...

– Attendez. Ces annonces figurent en mémoire sur l'une des bécanes de votre rédaction, non ? Il vous suffit de lancer une recherche automatique sur les quatre lettres LTPG ! Ces quatre consonnes ne sont jamais associées. C'est si compliqué ?

– OK. On va essayer. Mais s'il s'agit vraiment d'un programme pirate, nous ne sommes pas responsables, hein ? S'il fallait vérifier ce que...

– Rassurez-vous : si vous avez publié cette annonce, je serai ravie. Ce qui nous intéresse, c'est d'identifier l'inventeur du programme.

Crayon en main, Logicielle éplucha les photocopies des agendas que lui avait faxés Germain. Elle essayait d'y repérer, au fil des jours, le sigle LTPG qui aurait pu être noté dans l'emploi du temps des victimes.

Carrier avait une écriture lisible ; il ne notait que les rendez-vous de ses clients. Le travail fut bouclé en un quart d'heure.

Maruani en revanche était un maniaque qui utilisait son agenda pour y inscrire les cotes des meubles qu'on lui avait commandés. Son écriture était minuscule et au bord de la lisibilité.

Logicielle essayait de mémoriser les noms qui apparaissaient dans les calepins : elle soupçonnait ces hommes de s'être rencontrés ces derniers mois, cela n'avait rien d'invraisemblable puisqu'ils possédaient les coordonnées de certains autres. Mais elle ne découvrit aucun rendez-vous. Ni le sigle LTPG.

En consultant sans conviction ni espoir l'agenda électronique d'Antoine Bron, elle vit soudain apparaître, à la journée du 3 mars : *se procurer LTPG : http :// www. peri97.24.fr.*

– Bon sang, murmura-t-elle. C'est là ! Et avec l'adresse Internet correspondante !

Le commissariat n'était pas branché sur le Net. Logicielle voulut se lever pour se précipiter chez elle lorsque son téléphone sonna. C'était Germain. Sa voix tremblait d'excitation :

– Logicielle ? Nous l'avons ! Je vous appelle depuis le domicile de madame Sauzon, à Bergerac, vous vous souvenez ? Vous aviez raison, c'était une petite annonce... mais vous ne devinerez jamais où elle se trouvait !

– Dans un magazine d'informatique ?

– Non. Dans le journal gratuit des petites annonces locales, simplement baptisé le *24* ! Vous savez, ce sont des hebdomadaires qui, dans chaque département, publient les offres de particulier à particulier pour vendre ou acheter des voitures, des maisons, du matériel hi-fi... Ici, j'ai l'édition de Bergerac. Le numéro de la dernière semaine de février !

– Vous avez eu du flair, Germain, en mettant votre nez dans ces journaux.

– Non. Car il n'y avait *aucun* magazine d'informatique chez les victimes, mais seulement des hebdomadaires de télévision, d'informations boursières ou des mensuels spécialisés dans les antiquités. Chez Sauzon où je me trouve, j'ai aperçu une collection complète de ces journaux gratuits. Vous vous souvenez que Sauzon était brocanteur ? Eh bien il passait régulièrement des annonces dans le *24*. Il lisait aussi ces journaux pour y dénicher des offres de vente de mobilier. Ce qui lui paraissait intéressant était entouré au feutre. C'est ainsi que j'ai mis le doigt sur cette offre de programme informatique : Sauzon l'avait encerclée. C'est de cette façon qu'il a dû se procurer LTPG... Je vous faxe ça tout de suite !

Une minute plus tard, Logicielle recevait l'intégralité du texte :

Procurez-vous des œuvres anciennes uniques à des conditions exceptionnelles. Amateurs s'abstenir. Joindre sur Internet http :// www. peri97. 24.fr et demander le programme LTPG.

– Cette fois, murmura-t-elle avant de raccrocher, nous le tenons, Germain !

Elle dévala l'escalier quatre à quatre. Elle échafaudait mille hypothèses : elle allait se brancher, soit. Et laisser un message dans la BAL de ce mystérieux interlocuteur, d'accord. Mais accepterait-il de lui fournir le programme ? Et si ce LTPG coûtait les yeux de la tête ? Bah, Kosto ferait face ! Mais comment réussirait-elle à remonter la filière et à déterminer qui se cachait derrière cette adresse Internet ?

Sur le Réseau, n'importe qui avait le droit de se brancher sous n'importe quel nom d'emprunt, sans que ses interlocuteurs aient la possibilité de connaître le lieu de l'appel. Son peri97.24 pouvait être aussi bien un gamin résidant en banlieue parisienne qu'une vieille dame domiciliée à Los Angeles.

– Il faut que je réussisse à l'appâter, murmura-t-elle. À le convaincre de discuter avec moi en direct dans un salon. Mais il doit être sur ses gardes.

C'était la première fois qu'elle procéderait à l'interrogatoire d'un tel suspect ! Avec le risque qu'il se déconnecte à la première maladresse de son interlocutrice. En ce cas, elle ne le retrouverait jamais. Car la plupart des utilisateurs du Net ne révélaient ni leur identité ni leur adresse. Et *peri97.24* devait être plus qu'un autre sur ses gardes.

Logicielle s'arrêta sur la chaussée, attentive au fil de ses propres réflexions :

– Son programme... Si je réussis à l'obtenir, je suis sûre qu'il le trahira !

Oui. Mais une fois qu'elle aurait chargé LTPG sur un CDEX vierge, elle courrait les mêmes risques que ceux qui avaient trouvé la mort face à leur écran ! Dans la police, on avait appris à Logicielle comment négocier une reddition, appréhender un suspect, désarmer un malfaiteur... Mais personne ne lui avait enseigné comment déjouer les pièges mortels d'un programme informatique ni comment arrêter son inventeur.

Une moto vrombissante monta sur le trottoir et freina brutalement en s'approchant d'elle jusqu'à la toucher. Elle recula pour éviter le contact de la roue avant.

– Tu es malade ? lança-t-elle.

– Ouais... Tiens, c'est une bonne idée de pseudo : Mad Max, qu'est-ce que tu en dis ?

Max souleva son casque comme il l'avait vu faire dans les films policiers ; il avait un visage narquois et réjoui.

– Négocions ! lança-t-il, très sûr de lui. Si je te fournis les coordonnées de l'inventeur du programme LTPG, qu'est-ce que tu me donnes en échange ?

Logicielle lui mit sous le nez le fax de Germain et l'agenda d'Antoine Bron.

– Rien : je les ai déjà en double exemplaire !

Décontenancé, Max arrêta le moteur de sa moto.

– Ne me dis pas que ton ami Germain m'a coiffé au poteau ?

– Ma foi, nous sommes arrivés ex aequo lui et moi : j'ai déniché le numéro d'Internet sur l'agenda d'Antoine Bron au moment où Germain découvrait la petite annonce dans un journal local.

Elle lui montra le fax.

– C'est bien le même numéro, dit Max. Mais je ne m'attendais pas à le trouver là-dedans.

Il sortit de sous son blouson de cuir le luxueux magazine *Demeures d'exception.*

– Boulazac était abonné. J'ai jeté un coup d'œil sur les petites annonces. Regarde.

Deux lignes étaient entourées au feutre rouge :

Procurez-vous des œuvres anciennes à des conditions exceptionnelles. Amateurs s'abstenir. Joindre sur Internet http :// www. peri97.24.fr et demander le programme LTPG.

– Incroyable ! murmura Logicielle. Un catalogue d'œuvres anciennes sur CDEX ? Et qui occuperait quatre-vingt-trois gigaoctets ?

– Oui, dit Max. Mais attention, c'est un catalogue-qui-tue. Comme le livre interdit du *Nom de la rose*, tu te souviens ?

Elle monta sur le siège arrière de la moto et lança :

– Chez moi, chauffeur ! Vous connaissez l'adresse ?

– Oh, par cœur ! Mais je vous signale que vous ne portez pas de casque.

– Mission spéciale, dit Logicielle. Et puis en cas de problème, j'ai des appuis dans la police.

Logicielle reconnut aussitôt la fourgonnette de Neuronic Computer France. Les deux techniciens de la veille en descendirent, chargés d'un énorme carton. Max arrêta sa moto et Logicielle en descendit.

– Excusez-nous madame l'inspecteur, mais monsieur Kostovitch nous a demandé d'installer ça chez vous.

– C'est très gentil de sa part, dit Max en enlevant son casque. Qu'est-ce que c'est ? Un frigo ?

– Presque : un climatiseur.

Une demi-heure plus tard, l'appareil était branché et les techniciens repartis. Max examina le studio, s'approcha de l'OMNIA 3 et consulta le thermomètre.

– La température baisse à vue d'œil ! nota-t-il. Eh bien il te soigne, ton P.D.G. Il veut que tu travailles dans le plus grand confort !

– Penses-tu ! La climatisation, Max, ce n'est pas pour moi mais pour l'ordinateur. Ces petits monstres à réseaux de neurones supportent mal une température supérieure à 35°. Et Kosto tient à récupérer son matériel en bon état… On se branche ?

Finalement, Logicielle n'était pas mécontente que Maxime l'ait accompagnée. La perspective d'entrer bientôt en contact avec l'éventuel meurtrier lui procurait un étrange malaise.

– Sais-tu ce que j'avais prévu pour le weekend ? dit Max. Je pensais aller au Futuroscope, à Poitiers. Avec toi, bien entendu.

Il posa près du clavier deux billets sur lesquels Logicielle jeta un coup d'œil. « Un dimanche à deux au Futuroscope », annonçait la brochure jointe. « Avec aller-retour en TGV. »

– *Bonjour Logicielle*, déclara la voix masculine de l'OMNIA 3. *Que souhaites-tu faire aujourd'hui ?*

– Bon sang, grommela Max, et en plus il s'adresse à toi ?

– Oui. Nous sommes déjà bons amis. Et je crains que ce ne soit avec lui que je passe mon dimanche, Max. Grâce à la découverte du code, tu m'as fourni de quoi occuper mon weekend ! ... Salut, ajouta-t-elle face à l'écran, je voudrais me brancher sur Internet.

Quelques secondes plus tard, elle se trouvait sur le Réseau.

– Cette fois, nous y sommes, murmura-t-elle en tapant minutieusement le code *http :// www. peri97.24.fr.*

La réponse fut quasi immédiate :

Ce numéro ne correspond plus à aucun abonné.

Elle étouffa un juron, recommença la procédure en espérant avoir commis une erreur. Le même message réapparut.

– Ce qui signifie ? demanda Max.

– Que le vendeur de LTPG a dû s'abonner à Internet uniquement pour passer cette annonce. Et qu'au bout d'une semaine ou d'un mois, il a disparu sans laisser d'adresse.

Retrouver sa trace était impossible, Logicielle le savait. Il n'y avait pas si longtemps, quand les criminels utilisaient la poste restante, on pouvait interroger les employés des PTT, leur demander s'ils ne se souvenaient pas d'un client, d'un visage, d'une silhouette... Mais les nouveaux modes de communication autorisaient un anonymat parfait. Et quelqu'un avait trouvé une arme informatique redoutable qui, le crime accompli, s'effaçait des mémoires.

Découragée, Logicielle éteignit l'OMNIA 3. Max enfila son blouson de cuir, demanda :

– On retourne au commissariat ? Allez, ne fais pas cette tête-là. Cet échec a un avantage...

– Lequel ?

– Il va nous permettre de visiter le Futuroscope : cette fois, tu n'as plus aucune raison de refuser !

Logicielle passa l'après-midi du vendredi au commissariat à classer de vieux dossiers et à ruminer sa défaite. Avant de rentrer, elle téléphona à Germain pour lui rendre compte des derniers événements.

– Je ne me brancherai pas ce soir, lui dit-elle. Je n'ai pas le moral.

Arrivée chez elle, elle réchauffa un plat au micro-ondes, prit une douche et se coucha tôt. Quand le téléphone sonna, elle refusa de se lever et laissa le répondeur enregistrer le message.

Le lendemain, elle fut réveillée de bonne heure par le soleil qui noyait son studio. La chaleur était déjà étouffante. Elle ferma la fenêtre et les doubles rideaux puis mit le climatiseur en marche.

En préparant le petit déjeuner, elle se remémora l'appel de la nuit et écouta le message sur son répondeur.

– *C'est Max. Il est neuf heures du soir. Je voulais seulement te dire... Je suis très content que tu aies accepté de passer ce dimanche avec moi. Je viendrai te prendre vers six heures du matin. Bonne nuit Logicielle.*

– C'est tout ? murmura-t-elle en finissant son café.

Il ne l'avait pas embrassée ; elle en était presque vexée.

Soudain, son regard tomba sur l'OMNIA 3. Elle se souvint de la bouteille à la mer qu'elle avait lancée sur le Réseau, le jeudi soir après la visite de Kosto : *Qui peut me procurer le programme LTPG ? Merci de me laisser un message en BAL.*

On était samedi matin. Qui sait ? Peut-être lui avait-on répondu.

Sans conviction, elle alluma l'OMNIA 3, se brancha sur le Net et alla voir dans sa BAL. Elle y trouva inscrit :

ANTAEUS À LOGICIELLE : *Hi ! Je possède LTPG. Contacte-moi.*

Elle se frotta les yeux. Non, elle ne rêvait

pas ! Le dénommé Antaeus livrait son adresse Internet.

Stupéfaite, incrédule, elle murmura :

– Ainsi, quelqu'un possède LTPG...

À la réflexion, ce n'était pas aussi invraisemblable : l'inventeur du programme avait publié, voici deux ou trois mois, des annonces dans plusieurs magazines. Pas seulement dans des hebdomadaires périgourdins mais aussi dans de grands mensuels nationaux. Peut-être avait-il vendu *LTPG* à des dizaines, à des centaines de personnes ! Et aujourd'hui, ce programme circulait un peu partout sur le Réseau. Ceux qui le possédaient pouvaient à leur tour le vendre... Voilà pourquoi l'assassin avait disparu de la circulation !

Logicielle eut un frisson : en ce moment, combien de personnes utilisaient-elles ce programme sur leur OMNIA 3 en ignorant les dangers qu'elles couraient ? ... Fallait-il passer une annonce dans la presse ou à la télévision ? Mais après que furent révélées les victimes de *l'ordinatueur*, un tel avertissement risquait de provoquer la panique chez tous les amateurs d'informatique !

Elle se trouvait démunie face à l'urgence de la situation. Elle pianota le code de son mystérieux correspondant en réfléchissant au message qu'elle allait lui laisser dans sa BAL. Au moment où elle écrivait :

LOGICIELLE À ANTAEUS : *LTPG m'intéresse. J'aimerais le télécharger. Combien me le vends-tu ?*

Une phrase s'inscrivit en haut de l'écran.

ANTAEUS À LOGICIELLE : *Je suis sur le Web dans le salon Multimonde. Tu me rejoins ?*

Elle était si émue qu'elle cafouilla dans les commandes. Logicielle ne savait pas comment aborder la conversation. En réalité, elle surfait rarement sur le Web ; elle n'utilisait le Réseau que pour converser avec deux ou trois correspondants et accéder à des données qui facilitaient ses enquêtes.

LOGICIELLE : *C'est une chance que tu sois branché si tôt.*

ANTAEUS : *C'est l'inverse, c'est une chance que je sois resté branché si tard. Je vais bientôt me coucher.*

Logicielle réprima un sourire : l'horloge de son ordinateur indiquait sept heures du matin.

ANTAEUS : *Tu vas être très déçue. LTPG ne tourne pas. Il doit avoir un défaut.*

Un défaut ? Antaeus ne croyait pas si bien dire ! Logicielle pianota :

Je le prends quand même. Je peux le télécharger tout de suite.

ANTAEUS : *Attention. En principe, ce programme ne tourne que sur un OMNIA 3. Tu en as un ?*

Logicielle profita de la question pour avancer un pion :

Oui. Toi aussi ?

ANTAEUS : *Pas vraiment. C'est celui de ma boîte. Mais j'habite au premier étage du magasin ; et cet ordinateur, c'est comme ma voiture de fonc-*

tion : je l'utilise souvent pour autre chose que pour le travail.

Qui était Antaeus ? Sûrement pas le meurtrier. Sinon il ne lui aurait pas fait ce genre de confidences. Logicielle s'interrogea : devait-elle avertir son interlocuteur des dangers de LTPG ? Bah, il serait toujours temps de le recontacter une fois qu'elle aurait testé le programme.

LOGICIELLE : *Tu me le vends combien ?*

La réponse fut immédiate :

ANTAEUS : *Tu rigoles ? C'est cadeau ! Le copain qui me l'a refilé ne l'avait pas payé.*

C'est bien ce que Logicielle avait imaginé. Elle risqua :

Tu t'intéresses aux antiquités ?

Il y eut un temps de silence, qu'elle eut du mal à interpréter.

ANTAEUS : *Attends. Pourquoi tu me demandes ça ?*

LOGICIELLE : *LTPG est un programme qui permet de se procurer des objets d'arts.*

ANTAEUS : *Ah bon ? Première nouvelle ! Moi, je télécharge un peu tout, pour voir. Surtout quand c'est gratuit. Bon, tu es prête ? Et si tu trouves le truc pour faire tourner le programme, sois gentille de me laisser le mode d'emploi dans ma BAL ! À + !*

Son interlocuteur abandonna la ligne. Logicielle l'imita et lança aussitôt, grâce à l'Explorateur de programmes, le logiciel de téléchargement. Elle glissa un CDEX vierge dans le lecteur de l'OMNIA 3. Quelques instants plus tard, un témoin clignota puis resta fixe, preuve que le programme était enregistré. Aussitôt naquit sur l'écran une nouvelle icône. Elle était baptisée LTPG. Grâce au réseau des satellites, une poignée de minutes seulement avaient été nécessaires pour que quatre-vingt-trois milliards d'informations transitent d'un ordinateur à un autre, à des dizaines ou des centaines de kilomètres de distance !

Logicielle cliqua pour vérifier le volume du programme. Celui-ci s'afficha au moment où l'OMNIA 3 annonçait :

– *Quatre-vingt-trois gigaoctets. Souhaites-tu tester ce nouveau programme dès maintenant, Logicielle, ou préfères-tu passer à une autre application ?*

Logicielle respira un grand coup. Malgré la fraîcheur, elle transpirait à grosses gouttes. Son studio, grâce aux rideaux fermés, était plongé dans la pénombre. De la rue, encore déserte à cette heure, ne filtrait aucun bruit. On n'entendait que le ronronnement rassurant et régulier du climatiseur.

Cœur battant, Logicielle murmura face à l'écran :

– Je veux tester ce nouveau programme.

Une musique médiévale jaillit des haut-parleurs. Une palette de couleurs mouvantes balbutia sur l'écran, s'organisa et se stabilisa peu à peu. Mais ces traits et ces taches n'évoquaient rien de lisible. On eût dit la photo d'un paysage prise depuis un train en marche, mais avec une vitesse d'exposition trop lente, si bien que le cliché était flou. Non, pas vraiment flou puisque les contours étaient nets. Mais ils se répétaient de façon bizarre et mécanique pour dessiner un tableau abstrait. Antaeus avait raison : quelque chose avait dû déraper dans l'élaboration du programme. À moins qu'un virus ne soit venu tout brouiller pendant le téléchargement. Sans doute une précaution de l'inventeur pour éviter le copiage.

Logicielle fit courir la souris sur le tapis. Elle frappa sur la touche *Enter*, puis sur le clavier un peu au hasard.

Sur l'écran, l'étrange dessin en couleurs restait fixe.

– La suite ? articula Logicielle. La suite du programme ?

Le thème de musique médiévale retentit et s'apaisa en écho.

– Bon. Il y a sûrement un truc pour débloquer ce programme…

La plupart des CD-Rom étaient livrés avec un mode d'emploi sommaire ; mais l'utilisateur le plus béotien comprenait la marche à suivre du premier coup d'œil. D'ailleurs certaines indications apparaissaient toujours en clair au moment du chargement.

Ici, rien. Rien sinon ce brouillard de couleurs symétriques.

– Pas d'affolement. Procédons par ordre.

Logicielle effectua en priorité deux copies du programme sur des CDEX vierges, une précaution élémentaire à laquelle aucune des victimes n'avait songé. Puis elle étudia la difficulté. Après tout, elle n'était pas insurmontable : ceux qui s'étaient procuré ce programme pirate avaient dû s'y heurter, comme elle. Et les victimes, qui n'étaient pourtant pas spécialistes de l'informatique, avaient réussi à faire partir LTPG !

Logicielle se résolut à appeler Maxime. Le téléphone sonna longtemps avant que son collègue ne décroche.

– C'est Logicielle. Oui, je sais qu'il est encore tôt et que nous sommes samedi…

– Aucun problème. Je suis ravi. C'est la première fois que tu m'appelles ! Je croyais que tu avais mis mon numéro de téléphone au panier.

Elle lui expliqua qu'elle possédait LTPG mais que le programme coinçait. Il se fâcha pour de bon :

– Quoi ? Et tu as voulu le tester seule ? Tu es

folle ! Imagine qu'on ait retrouvé ton corps inerte et sans vie devant l'OMNIA 3, hein ?

– Pour l'instant, ce qui est inerte et sans vie, c'est plutôt l'image que je regarde…

– Eh bien ne la regarde plus, s'il te plaît. Éteins ton ordinateur et attends-moi ! Je suis là dans un quart d'heure.

Malgré sa bonne volonté, Max ne résolut pas le problème. Devant son entêtement, Logicielle finit par lui jeter :

– Écoute Max, laisse-moi me débrouiller. Et si tu veux casser la croûte à midi, occupe-toi plutôt du repas.

Elle téléphona à Kostovitch qui lui répondit aussitôt. La voix du petit homme vibrait d'enthousiasme.

– Ainsi, vous vous êtes procuré le programme suspect ? Bravo !

– Mais je n'arrive pas à le charger. Est-ce que… ?

– Je vous passe l'un de nos spécialistes. Patientez un instant.

Elle attendit.

– Eh bien, fit Max à voix basse, ils travaillent le samedi, à NCF !

– Et nous, dit Logicielle, on s'amuse, peut-être ?

– Ça ma vieille, c'est l'inconvénient d'avoir un métier passionnant : on bosse même pendant ses loisirs. Ceux qui exercent une profession qu'ils détestent ne connaissent vraiment pas leur chance…

Elle lui fit signe de se taire, elle avait un informaticien au bout du fil.

– En effet, ce n'est pas normal. Écoutez mademoiselle, pouvez-vous nous télécharger ce programme ? Nous allons l'étudier de notre côté.

– Attention ! dit Logicielle. Je dois vous avertir que...

– Oh, monsieur Kostovitch nous a mis au courant ! Nous prendrons les précautions nécessaires.

Le téléchargement effectué, Max poussa un soupir de satisfaction :

– À mon avis Logicielle, ton rôle s'arrête ici ! À présent, les spécialistes ont en main l'arme du crime. Et je te vois mal rivaliser avec eux.

– Je suppose que tu plaisantes ? rétorqua-t-elle sèchement. Ce n'est pas parce que je me heurte à un obstacle que je passe la main. N'oublie pas que je suis responsable de cette enquête. Et que je dispose d'associés plus compétents que toi, et prêts à fournir des heures supplémentaires.

Elle décrocha son combiné et pianota un numéro. Devant l'air ahuri de Max, elle déclara :

– J'appelle mon vieil ami Germain.

Elle ignora Max qui était parti bouder côté cuisine.

– Comment m'aider ? C'est simple, Germain ; allez chez Antoine Bron, à Eymet. Appelez-moi quand vous serez en face de l'ordinateur. Je téléchargerai le programme en question, et dès que l'OMNIA 3 l'aura en mémoire, vous le testerez à votre tour. Peut-être que LTPG démarrera avec les ordinateurs des victimes ?

Hélas, une heure plus tard, ils durent se rendre à l'évidence : à Eymet comme à Paris, la même image restait obstinément fixe sur l'écran.

Max quitta l'appartement de sa collègue en début de soirée.

Logicielle se brancha sur Internet ; elle découvrit un message dans sa BAL : un nouveau correspondant se déclarait prêt à lui donner le programme LTPG ! Son numéro de téléphone révélait qu'il habitait Paris.

Elle appela aussitôt. Elle tomba sur un adolescent qui lui communiqua sans hésiter son nom, son adresse, et les coordonnées des amis qui lui avaient fourni LTPG.

– Seulement voilà, lui révéla le garçon avec embarras, il coince ! Je crois qu'il a un mégabug...

Elle effectua le téléchargement par acquit de conscience ; mais le programme bloquait toujours. Complètement abattue, elle appela Max à dix heures du soir.

– Comment ? lui dit-il. Tu ne dors pas encore ? Vite, au lit ! N'oublie pas que je passe te prendre demain matin à six heures. Une journée au Futuroscope te changera les idées !

Pendant le trajet en TGV, Max dérida Logicielle en faisant disparaître sous son nez une pièce de monnaie. Il la mystifia avec deux ou trois tours de cartes. Il fréquentait un club d'illusionnisme et pratiquait la prestidigitation en amateur.

– Ce qui m'épaterait, Max, soupirait-elle, ce serait que tu débloques ce fichu programme...

Lorsqu'ils sortirent du train climatisé, la chaleur les agressa.

Ils visitèrent l'Omnimax et plusieurs salles de cinéma dynamique, dont les sièges vibraient et pivotaient pour donner aux spectateurs l'illusion du mouvement.

Ils sortirent de ces spectacles enthousiasmés, ravis, haletants. Ils achevèrent la matinée en assistant au film en relief *Les Ailes du courage*. Une fois qu'on avait chaussé les lunettes spéciales à verres polarisés, le relief était saisissant. Quand l'avion décollait et survolait les vallées, on était pris de vertige. Les acteurs, tels des hologrammes, évoluaient si près des spectateurs que ceux-ci tendaient la main dans l'espoir de toucher ces personnages transparents.

Vers treize heures, ils se réfugièrent dans la

fraîcheur d'un des restaurants du parc. Ici aussi, la foule était dense. Logicielle se frottait les yeux, encore ivre d'espace et de couleurs.

– Dommage que ce film soit si court ! dit-elle. À mon avis, c'est le cinéma de l'avenir. Je ne donne pas dix ans avant que toutes les salles soient équipées de cette façon.

– Je crains que ce ne soit impossible, mademoiselle, répliqua un inconnu qui déjeunait à côté d'eux.

Il portait, épinglé sur sa chemise, un badge officiel.

– D'abord, le coût d'un tel film est considérable. Ensuite, porter des lunettes aux verres polarisés reste une contrainte pour le spectateur. Enfin, les yeux fatiguent rapidement. Si le film dure quarante minutes, c'est parce qu'il s'agit du seuil maximum acceptable pour le regard. Au-delà, le spectateur doit forcer son attention ; et il s'épuise vite.

Max et Logicielle hochèrent la tête sans répondre.

– Je m'appelle Bruno della Chiesa. Je suis un responsable technique du Futuroscope. Vous savez, le relief au cinéma, ce n'est pas nouveau ! Enfant, j'ai longtemps joué avec une jumelle stéréoscopique dans laquelle je visionnais des photos. De nombreux procédés ont été testés. Vous en trouverez quelques-uns à la sortie, à la librairie du Futuroscope.

Le téléphone mobile de Bruno della Chiesa retentit. Il s'excusa, répondit, s'éloigna sur un sourire.

Logicielle et Max passèrent l'après-midi à visiter d'autres sites. Le soir, ils se dirigèrent vers la sortie. La foule, considérable, se pressait aux tourniquets. Bientôt, ils s'immobilisèrent : l'accompagnateur d'un groupe recomptait ses cinquante enfants.

– Bon, grommela Max, il en a pour longtemps ? On a un train à prendre !

Logicielle, résignée, tourna son regard vers la librairie. Elle réfléchissait, les yeux dans le vague ; elle distinguait, dans la vitrine, le reflet de l'accompagnateur qui gesticulait au-dessus de la tête des enfants. Soudain, un énorme lézard vert apparut devant elle ! L'animal fut là d'un seul coup, figé dans un relief saisissant, perché sur un rocher grumeleux ; il dressait sa petite tête de reptile d'où pointait une mince langue fourchue.

Interloquée, Logicielle recula, bouscula Max, se frotta les yeux.

– Eh... Ça va ? Qu'est-ce que tu as ?

– Regarde, Max ! Là, dans la vitrine !

Elle tendit la main vers l'illusion qui s'était dissipée. À sa place, elle découvrit un livre ; sa couverture, sorte de tableau abstrait, représentait une succession anarchique de formes, de traits et de points colorés auxquels l'œil n'accordait aucun sens.

– Quoi ? fit Max. Que veux-tu me montrer ? Ce bouquin ? *Interactives pictures in 3 D*[1] ?

– Oui ! Regarde la couv... Non ! Regarde,

1. Images interactives en trois dimensions.

au-delà de la couverture, les gens dont les silhouettes se reflètent dans la vitrine !

– Oui, eh bien ?

– Tu devrais voir apparaître un lézard. En relief !

Logicielle tenta d'accommoder son regard comme la première fois. Impossible. Elle était si obsédée par la couverture du livre que ses yeux s'y reportaient malgré elle.

– Max... Tu y arrives ?

– Non. C'est si important ?

La foule avait repris son mouvement vers la sortie ; mais Logicielle refusait de bouger. Derrière elle, des protestations s'élevèrent.

– Logicielle ? Viens, s'il te plaît !

– Attends-moi, Max.

Elle se précipita dans la librairie et en ressortit un peu plus tard avec l'ouvrage en question.

Assise en face de Max dans le TGV, Logicielle semblait fascinée. Elle tenait le livre à bout de bras et s'exerçait à percer le secret de ces images incohérentes qui, regardées d'une certaine façon, faisaient soudain jaillir des objets ou des paysages en relief.

– Max... Ça y est, j'y arrive !

– Oui ? Ah si tu veux loucher, c'est parfaitement réussi, en effet !

Logicielle posa l'ouvrage sur la banquette à côté de Max. Elle était rose d'excitation, hochait la tête, parlait toute seule.

– Eh bien ! fit Maxime, tu es une vraie gamine. Un rien t'amuse !

– Max... ces images ne te rappellent rien ?

Elle mit le livre sous son nez.

– Non. Non... pas vraiment, pourquoi ?

– Parce qu'elles ressemblent comme deux gouttes d'eau à celles qu'affiche le programme LTPG sur l'écran.

Quand la moto s'arrêta devant l'immeuble de Logicielle, il était près de minuit.

– Eh, qu'est-ce que tu fais ? demanda-t-elle à Max qui coupait le contact.

– Pardi : je monte avec toi.

– Tu plaisantes ? Il n'en est pas question !

– Écoute Logicielle, je te connais : tu vas passer la nuit devant l'OMNIA 3 à tester ce fichu programme en louchant comme une malade sur l'écran. Je ne veux pas qu'il t'arrive un accident, je ne te laisserai pas seule !

– Rassure-toi : je suis épuisée. Je me suis levée comme toi à cinq heures. Je ne vais pas brancher mon ordinateur maintenant.

– Tu me le jures ?

– Pas avant demain matin, c'est promis. Rentre, et sois tranquille.

Elle s'approcha du motard, murmura :

– Max... Je te remercie pour cette journée. Je peux te faire la bise ?

Passant de la parole aux gestes, elle embrassa le casque que Max n'avait pas enlevé. Puis elle s'éclipsa vers la porte de son immeuble sans se retourner.

Logicielle tint parole. Elle se coucha aussitôt après s'être douchée et s'endormit. Mais elle se réveilla à cinq heures et il lui fut impossible de retrouver le sommeil.

Elle était excitée comme à la veille d'un départ en vacances.

Dans l'avenue en contrebas, on n'entendait que le piaillement obstiné des oiseaux qui semblaient vouloir hâter le lever du jour.

Immobile dans son lit, Logicielle attendit qu'une lueur blafarde commence à dissiper l'obscurité de la nuit.

– Eh bien c'est le matin ! décida-t-elle soudain.

Elle écarta les draps, se leva, ferma la fenêtre et mit en marche le climatiseur. Puis elle alluma l'ordinateur.

– *Bonjour Logicielle,* dit la voix aimable de l'OMNIA 3. *Que souhaites-tu faire aujourd'hui ?*

– Examiner de près l'arme du crime, lui répondit-elle. Et peut-être appréhender le coupable.

– *Je ne comprends pas tes directives, Logicielle,* dit l'ordinateur sur un ton navré. *Peux-tu les reformuler autrement ?*

– J'aimerais que tu lises le contenu du CDEX.

Aussitôt, les images floues de *LTPG* dansèrent sur l'écran ; elles s'apaisèrent pour se figer sur l'étrange illustration abstraite. La musique médiévale familière jaillit des haut-parleurs.

– J'ai été stupide ! grommela Logicielle. J'aurais dû y penser avant.

Elle fit pivoter son écran de façon à ce que la fenêtre s'y reflète. Voilà pourquoi elle avait toujours été gênée, en enquêtant chez les victimes, par l'image d'une vitre ou d'une lampe sur l'écran : loin d'être un handicap, ce reflet était au contraire un moyen pratique pour que le regard accommode sur l'infini, seule façon de donner du sens – et du relief ! – à ces images incohérentes !

Cœur battant, elle essaya de fixer son regard non pas sur l'écran mais bien au-delà. Cet exercice oculaire dura une ou deux minutes ; et tout à coup, comme avec les images en 3 D de son livre, elle accommoda... sur un paysage somptueux : un château perché sur un piton rocheux qui dominait une vallée verdoyante. Le relief était si saisissant qu'elle recula. Elle craignit que ce bref mouvement ne dissipe le miracle – mais non : tant que son regard restait accroché à tel ou tel détail de l'édifice, elle pouvait déplacer son siège, reculer ou avancer sans perdre le fil de sa vision.

– Bon sang... et c'est de la vidéo !

Dans le ciel couraient quelques nuages blancs. Un vent léger agitait la ramure des arbres de la vallée. La précision des images était proche de la perfection ; un film numérique n'eût pas mieux restitué la réalité.

Le regard de Logicielle descendit jusqu'au mur d'enceinte où avait été peinte, en lettres gothiques, l'inscription :

La tour, prends garde !

– Nous y voilà, murmura-t-elle. LTPG, c'est La Tour, Prends Garde !

Une vieille ritournelle enfantine lui revint aussitôt en mémoire avec son refrain entêtant : *La tour, prends garde ! La tour, prends garde de te laisser abattre !*

Cependant, le paysage restait figé. Logicielle se trouvait dans la situation d'un promeneur qui, au détour d'un chemin, aurait découvert un mur et un portail protégeant un grand parc envahi par des herbes. Le château ressemblait à celui de Louis II de Bavière, à Neuschwanstein ou à celui de Disneyland Paris. Mais ce n'était pas là un décor d'opérette, ni une maquette.

– Soit. Mais encore ?

Était-ce un effet de sa voix ? Ou du déplacement de ses yeux qui venaient de déchiffrer le nom du programme ? L'inscription s'effaça du mur et une autre la remplaça, cette fois en caractères habituels :

Pour démarrer le programme, fixer le regard sur la serrure du portail.

C'était facile : l'énorme serrure de la grille ressemblait à une cible. Logicielle s'appliqua à ne pas la quitter des yeux. Dix secondes plus tard, la grille s'ouvrait lentement avec un grincement lugubre.

D'un coup, elle comprit : le programme ne démarrait que si l'œil de l'utilisateur restait fixé un certain temps sur un endroit précis de l'écran. La caméra intégrée de l'OMNIA 3 enregistrait l'immobilité de la pupille sur ce point et déclenchait le départ du programme.

À présent, tout se passait comme si Logicielle était entrée dans le parc du château. De chaque côté de l'allée couverte de gravier blanc se dressaient des arbres centenaires : chênes, frênes, séquoias, cèdres du Liban... Mais ils étaient envahis par le lierre ; des ronces recouvraient la pelouse et des taillis inextricables encombraient le parc.

– Hé, non...

Son regard s'étant attardé sur les buissons, l'image dérapa dans un lent travelling et exécuta un zoom vers les feuillages, comme si Logicielle avait voulu y plonger. Vite, elle porta les yeux à droite de l'image, en direction du sentier... et, comme elle l'avait espéré, c'est là qu'elle se retrouva, en marche vers le château dont la silhouette grossit peu à peu.

Des chants d'oiseaux jaillissaient autour d'elle. Était-ce une sonorisation du logiciel ou les moineaux et les hirondelles de son avenue ? De même, il lui semblait ressentir sur son visage le souffle du vent, dont le mouvement des feuillages proches étaient les témoins – mais peut-être était-ce l'haleine du climatiseur, dont le faible ronronnement se mêlait à celui de l'ordinateur.

Bientôt, elle parvint au pied de l'escalier d'honneur qui menait à la terrasse de l'édifice. Son regard s'attarda sur les statues de marbre dressées sur leurs socles ; alors, docile, l'image se stabilisa ; elle se remit à défiler quand Logicielle regarda les marches de pierre.

Elle monta l'escalier – oui, bien qu'elle fût immobile sur son siège, elle avait réellement l'impression de le gravir. Enfin, elle s'arrêta sur l'immense terrasse et observa la façade du château. On y trouvait, sur trois niveaux, plusieurs enfilades irrégulières de fenêtres à meneaux, dont les vitres de couleur étaient cerclées d'épais fils de plomb. Ici et là, une tourelle rompait l'harmonie de l'ensemble. Et côté ouest, le toit d'une chapelle attenante se reconnaissait à ses arcs-boutants et à son petit clocher dentelé de pierre.

– C'est un château du XVe ou du XVIe siècle estima Logicielle à mi-voix. Les fondations sont sûrement plus anciennes mais l'ensemble est de style Renaissance.

Elle se demanda combien de millions d'octets avaient été nécessaires pour numériser ces images vidéo – vidéo et interactives puisqu'on explorait à volonté les moindres recoins de cet univers ! Elle s'interrogea aussi sur ses limites : l'inventeur avait-il également reconstitué les environs, ce qui aurait permis de localiser le bâtiment ? Elle était sûre qu'il ne s'agissait pas là d'un monde imaginaire, mais d'une reconstitution fidèle d'un lieu réel. L'inventeur de LTPG maîtrisait parfaitement la CAO*.

Elle observa la porte de bois sculpté. Ses yeux s'arrêtèrent sur le trou de la serrure. Comme elle l'espérait, les deux battants de la porte s'ouvrirent dans une lenteur majestueuse. Le thème médiéval jaillit, appuyé cette fois par un bel ensemble de cuivres, et rendu plus solennel encore par un effet d'écho impressionnant.

Logicielle pénétra dans un hall immense, sans doute le salon d'honneur. Le sol était dallé de marbre noir et blanc ; sur les murs, percés d'une dizaine de portes, étaient suspendus des tableaux. Le mobilier se limitait à quelques lourds fauteuils de chêne et à un coffre de bois sculpté ; sa façade en ébène, ivoire et noyer blond, représentait une scène mythologique.

– *Je te félicite, Logicielle !* s'exclama une voix qui semblait venir de partout et de nulle part.

Le timbre goguenard et provocateur de son interlocuteur n'était pas identifiable. Était-ce celui d'une jeune femme ou d'un adolescent ? Logicielle soupçonna cette voix d'avoir été modifiée au moyen de plusieurs filtres.

– *Ta perspicacité t'a permis de vaincre les premiers obstacles qui t'empêchaient d'arriver jusqu'ici. Je te souhaite la bienvenue dans mon programme* La Tour, Prends Garde. *Je te dois aussi des explications, Logicielle, concernant ces fameuses œuvres d'art que tu pourras te procurer à des conditions exceptionnelles...*

Ainsi, l'inventeur de LTPG connaissait son

surnom ! Elle se contraignit à raisonner… À la réflexion, il n'y avait là rien de miraculeux : l'OMNIA 3 avait simplement transmis au nouveau programme les directives qu'elle lui avait livrées la veille ! Un tour de passe-passe supplémentaire de l'assassin.

– *Comme tu le sais peut-être, Logicielle, il existe en Europe, tout particulièrement en France, un certain nombre de châteaux, d'églises et de manoirs abandonnés ou inoccupés. Ces édifices renferment parfois des merveilles. Pour se les procurer, deux conditions sont nécessaires : d'abord, il faut savoir où se trouvent ces bâtiments et comment y pénétrer ; ensuite, il faut avoir l'audace de s'y introduire et de s'emparer des meubles, tableaux et objets d'art qu'ils contiennent. Grâce à mon programme, chère Logicielle, mais aussi grâce à ton astuce et à ton opiniâtreté, tu as dès maintenant la possibilité d'identifier ce château, et d'explorer sans quitter ton fauteuil les difficultés qui t'attendront dans la réalité ; car LTPG reproduit scrupuleusement les lieux et les objets, mais aussi les alarmes et les pièges que les propriétaires ont utilisés pour empêcher l'intrusion de visiteurs indélicats. Lorsque tu te jugeras suffisamment informée, tu pourras te rendre sur place et passer à l'acte… en prenant évidemment tes responsabilités. Car les risques seront à ta charge, je n'aurai fait que t'ouvrir la voie.*

Il y eut un temps de silence. Le regard de Logicielle allait d'une porte à l'autre. Son interlocuteur reprit :

– *As-tu des questions, Logicielle ? Mon programme est prévu pour que j'y réponde.*

– Qui es-tu ?

– *Je m'appelle Pyrrha... C'est un nom d'emprunt, bien entendu !*

– Explique-moi, Pyrrha. Que faut-il faire pour... pour jouer ?

– *Tu te trouves ici à l'intérieur d'un château abandonné. La copie virtuelle que tu explores est conforme à la réalité. Car ce château existe, ainsi que tout le mobilier qu'il contient ; il renferme un objet d'une valeur inestimable que son propriétaire a dissimulé. Pour simplifier, appelons cet objet* Le Trésor. *Si plus tard, tu souhaites explorer les autres édifices du programme, tu dois d'abord découvrir ce Trésor.*

– Mais... pourquoi cette contrainte ? Imaginons que je ne... que je ne découvre pas le Trésor ?

Il y eut un temps de silence. Comme si le programme avait certaines difficultés à décrypter cette question. Logicielle comprit qu'elle devrait choisir des formulations plus directes ou plus simples.

– *Dans la plupart des programmes de ce genre, l'utilisateur doit faire preuve de nombreuses qualités avant de pouvoir passer à un niveau de difficulté supérieur : astuce, rapidité, réflexes, esprit de déduction... Tu te doutes, Logicielle, que tu n'es pas la seule à t'être procuré LTPG. Tes prédécesseurs t'ont peut-être devancée et vidé de son contenu le château où tu te trouves. Autrement dit, seuls les plus perspicaces explore-*

ront le plus grand nombre de sites ; chacun d'eux possède une épreuve ultime à remporter pour obtenir l'accès au site suivant... Plus vous serez nombreux, plus vous devrez progresser loin dans le jeu pour éliminer vos poursuivants, et arriver les premiers dans des lieux encore vierges. Que le meilleur gagne !

– Attends ! Attends, Pyrrha ! s'exclama Logicielle. Puisque tu connais si bien les châteaux qui renferment toutes ces merveilles, c'est que tu y as pénétré ! Alors pourquoi n'es-tu pas allé chercher ces objets toi-même ?

À nouveau, quelques secondes s'écoulèrent. Comme si Pyrrha réfléchissait.

– *Qui te dit, Logicielle, que j'ai envie de prendre ces risques ? Cambrioler ces demeures est un délit ! Or, moi, je ne suis ni un malfaiteur ni un receleur...*

– Ben voyons, murmura Logicielle, tu es un enfant de chœur !

– *... Je me contente de vendre un mode d'emploi,* acheva Pyrrha.

Le regard de Logicielle se fixa sur l'une des portes du salon d'honneur. Aussitôt, un zoom l'en rapprocha, elle ne possédait pas de serrure.

– *Attention ! Cette première visite n'était qu'un préambule destiné à t'expliquer le mode d'emploi. Désormais, tu ne pourras pénétrer dans ce château que par effraction. Plusieurs moyens existent. À toi de les découvrir. Si tu désires te déconnecter maintenant, il te suffit de fixer le coffre du grand salon.*

Logicielle aurait aimé poser mille questions à Pyrrha. Mais elle avait tout le temps… Car elle entreprendrait l'exploration du château. Oui, elle allait refaire le parcours qu'avaient effectué les victimes. En déjouant les pièges de Pyrrha. En sachant qu'elle risquait sa vie – mais en ignorant dans quelles circonstances, à quel moment, à quel endroit.

Son regard revint au coffre. Elle examina la scène sculptée, qui représentait, au premier plan, un guerrier grec s'apprêtant à pénétrer sous une tente ; dans le lointain, on devinait une masse de soldats et une ville assiégée.

Soudain, il y eut un éclair blanc. Logicielle poussa un cri, sursauta, ferma les yeux.

Quand elle les rouvrit, elle fut presque étonnée de se retrouver seule dans son studio, assise face à l'OMNIA 3.

– Pyrrha ? demanda le commissaire en déchiffrant le nom que Logicielle avait inscrit sur un papier. Qu'est-ce c'est que ça ?

– Le nom de l'inventeur du programme. Ou plutôt le pseudonyme sous lequel se dissimule le meurtrier.

– Nous voilà bien avancés ! Donc, vous ignorez toujours son identité, son domicile, son...

– Bien entendu, monsieur Delumeau. Mais vous me demandiez si j'avais progressé dans mon enquête. Voilà où j'en suis.

Le commissaire renifla bruyamment, grommela trois mots inintelligibles et s'éloigna dans le couloir. Max en profita pour rejoindre Logicielle.

– Pas satisfait, le patron ? Pourtant, je trouve que tu as mis les bouchées doubles ! Dis, Logicielle, moi, je t'ai bien emmenée au Futuroscope... Et toi, quand est-ce que tu m'emmènes dans ton château ?

– Dans mon studio, tu veux dire ?

– Ma foi, dit Max, puisqu'il faut aller dans l'un pour passer dans l'autre...

– Ah, comme c'est bien, la clim ! s'exclama Max en entrant dans le studio de Logicielle. Donc, c'est ici, notre nouveau QG ?

Il enleva son blouson de cuir et le déposa sur le lit à côté de son casque. Logicielle réprima un mouvement d'humeur. Elle n'aimait pas recevoir de la visite. La plupart de ses hôtes se conduisaient en pays conquis. Dès leur arrivée, ils marquaient leur territoire en déposant leurs affaires un peu partout. À peine Maxime était-il entré qu'elle se demandait de quelle façon adroite et polie elle l'inviterait à repartir. Si elle l'avait emmené chez elle, c'était surtout pour sa propre sécurité. Elle avait conscience de risquer gros en manipulant seule cet OMNIA 3 transformé, grâce à LTPG, en *ordinatueur*...

Elle mit l'ordinateur en marche, invita Max à s'asseoir face à l'écran ; puis elle lui confia le livre aux images 3D.

– Exerce-toi d'abord à accommoder sur ces images. Ensuite, tu feras partir le programme.

Elle appela Germain et lui expliqua où s'était arrêtée son enquête. L'inspecteur grommelait :

– Moins vite, je prends des notes ! Vous dites : le salon d'honneur d'un château inhabité ?

– Oui. Et j'aimerais que vous identifiiez cet édifice.

– Vous plaisantez ! Il existe des milliers de châteaux en France ! Qu'est-ce qui vous pousse à croire... ?

– C'est bien vous, Germain, qui m'avez raconté cette fameuse légende périgourdine ?

« Après avoir créé le monde et les hommes, Dieu répartit équitablement ses châteaux dans les lieux habités. Hélas, quand il eut achevé, il lui en restait encore mille ! Alors il vida son sac d'un coup au-dessus du Périgord. »

– D'accord. Mais...

– Les victimes sont originaires de la région de Bergerac. Il est possible que ce château soit près de chez vous, Germain.

– Comment voulez-vous procéder ?

– Je vous faxe dix pages du livre sur la 3 D. Vous vous exercerez à regarder les images en relief qu'il contient. Ensuite, vous irez à Eymet et vous lancerez LTPG. Ne vous hasardez pas à l'explorer, Germain ! Je voudrais que vous me disiez de quel château il s'agit. Ne prenez pas de risques !

– Pourquoi ? grommela Germain. Est-ce que vous n'en prenez pas, vous ?

Quand Logicielle raccrocha, elle s'aperçut que Max se battait avec le clavier.

– Il se moque de moi, ton OMNIA 3 ! Impossible de faire démarrer le programme. Tu entends ce qu'il me dit ?

– *Vous n'êtes pas Logicielle. Souhaitez-vous enregistrer les coordonnées d'un nouvel utilisateur ?*

Elle montra à Max la procédure destinée à familiariser l'ordinateur avec sa voix. Une fois LTPG lancé, elle ouvrit les rideaux pour que l'image de la fenêtre se reflète sur l'écran. Max eut certaines difficultés à accommoder. Enfin, au bout de dix minutes, il s'exclama, le regard fixe et exalté :

– Ça y est ! Je le tiens ! C'est un château... Bon sang, il est superbe !

Debout à côté de son collègue, Logicielle ne distinguait qu'un bouillon de couleurs confuses. Il fallait se trouver face à l'écran et à une distance précise pour décoder les images en stéréochromie.

– Tu as lu l'inscription, sur le mur ?

– OK. Je fixe la serrure ! ... Ouais, elle s'ouvre ! J'entre. Je suis sur l'allée, j'avance. Oh, mais c'est facile, en effet...

Trois secondes plus tard, Max étouffait un juron. Le bref thème médiéval retentit et l'image se modifia d'un coup.

– Logicielle ! J'ai perdu le relief...

– Eh bien reprends le parcours à l'endroit où tu l'as laissé.

Max s'exécuta, puis s'exclama deux minutes plus tard :

– Eh... Mais je ne me retrouve pas là où j'étais ! Je suis à nouveau face à la grille et au mur... Il me faut tout recommencer !

Il maugréa et reprit le parcours à zéro.

– Voilà... je suis arrivé sur la terrasse... Ah, flûte !

Il s'écarta de l'ordinateur, se frotta les yeux.

– Mais c'est complètement fou, ce jeu ! À la moindre inattention, il se réinitialise ! Et à chaque fois, on se retrouve au pied du mur.

– Réfléchis, Max : le programme effectue le choix des images en fonction du déplacement de tes pupilles que la caméra de l'OMNIA 3 surveille en permanence. Il faut te concentrer ! Laisse-moi la place.

Elle s'installa face à l'écran. Elle n'eut aucune difficulté à accommoder sur l'image, elle avait l'habitude à présent. Mais au lieu d'ouvrir la grille du parc en fixant la serrure, elle longea l'enceinte ; elle était en si mauvais état qu'on pouvait l'escalader sans peine.

Bientôt, elle aboutit à une forêt touffue : le mur était encombré de ronces hautes et épaisses. Le programme refusait d'avancer. Elle fit demi-tour, repassa devant la grille fermée et entreprit d'explorer la petite route qui aboutissait au château. Elle parvint au pied d'une côte. Du sommet, le panorama la renseignerait sûrement sur sa position ! Hélas, il lui fut impossible de gravir la pente : le programme s'arrêtait là. Elle retourna à la grille et longea le mur d'enceinte. Après deux ou trois cents mètres, il se noyait dans un piton rocheux. Logicielle leva la tête et aperçut, vingt mètres plus haut, une tourelle sur le long chemin de ronde. De ce côté aussi, la progression était impossible.

Elle emprunta un chemin muletier dont la montée rude obliquait vers le château. Elle le gravit sur une quinzaine de mètres et se retrouva perchée sur une corniche.

Maintenant, elle longeait un précipice. Le chemin s'était réduit à un sentier caillouteux, si étroit qu'il fallait concentrer son attention sur les pierres. Logicielle devinait sans le voir le panorama qu'elle devait dominer, à présent.

Son regard s'égara une seconde de trop vers la forêt en contrebas. Elle entendit le bruit d'un soulier qui dérape, puis celui d'un éboulis. Le ciel chavira au-dessus de sa tête ; elle comprit qu'elle tombait et poussa un cri.

Quand elle rouvrit les yeux, elle se retrouva sur son siège. Max la maintenait fermement par les épaules.

– Logicielle ? Ça va ?

– Oui, oui, balbutia-t-elle. Tu peux me lâcher.

– Tu es sûre ? Alors redresse-toi, j'ai encore l'impression que tu vas basculer !

En effet, elle penchait son corps vers la droite, le côté où elle avait voulu d'instinct se raccrocher à la muraille pour éviter la chute !

– Que s'est-il passé ? demanda Max.

Elle retrouva son équilibre, haussa les épaules.

– C'est idiot ! Je suis tombée. Et j'ai eu peur. C'était au moins aussi impressionnant qu'au Futuroscope. Et pourtant, mon siège est immobile.

– Mais toi, tu gigotais drôlement !

– Peut-être bien. Dans les salles du cinéma dynamique, tu tournes la tête sans problème. Mais face à cet écran, si tu abandonnes une seconde l'objet ou le lieu que tu fixes, le programme t'emmène aussitôt là où ton regard se déplace. Et si tu fermes les yeux ou si tu perds la vision en relief, il se déconnecte et il faut repartir à zéro. C'est ce que je vais faire...

Pendant plusieurs heures, Logicielle explora le parc du château. Elle n'y découvrit rien de particulier, sinon des charmilles envahies par le lierre, un vieux labyrinthe de buis inaccessible car personne ne l'avait plus taillé depuis bien longtemps, un bassin asséché, une maison de garde forestier déserte, délabrée et ouverte à tous les vents.

À deux reprises, le programme se déconnecta. La première fois parce que le téléphone sonna et que Logicielle détourna les yeux un bref instant ; la seconde, parce qu'elle s'était imprudemment frotté les yeux.

Chaque fois, elle enrageait car elle se retrouvait face à la grille du parc.

Elle tenta de forcer l'entrée du château. Impossible d'ouvrir la porte principale ! Alors elle brisa une fenêtre, ce qui provoqua la stridulation d'une sirène et la déconnexion automatique de LTPG.

Enfin, en rôdant près du sentier muletier, elle découvrit, cachée par un buisson, l'entrée d'une caverne. Son cœur battit soudain plus fort. Et comme pour répondre à son attente, la voix de Pyrrha annonça :

– *Bien vu, Logicielle. C'est en effet une issue par laquelle on peut accéder au château. Mais prends garde aux obstacles !*

– Je n'aime pas quand il te parle, ce type, mumura Max à son oreille.

– Tais-toi, veux-tu ? D'abord ce n'est peut-être pas un homme. Pyrrha est un nom plutôt féminin. Et puis laisse-moi me concentrer Max, s'il te plaît.

Elle progressait dans un boyau étroit, entendait l'écho humide et lointain de gouttes d'eau.

Une chauve-souris jaillit, la frôla et Logicielle se mordit les lèvres pour ne pas hurler. Elle aboutit à un cul-de-sac, recula, escalada plusieurs blocs effondrés. L'obscurité devenait très épaisse. Après une reptation difficile, elle aperçut une lueur au bout du tunnel.

– Je crois que j'aperçois la sortie, murmura-t-elle.

Un vertige inexpliqué la saisit. Une paroi avait jailli devant elle et défilait en accéléré, lui donnant l'illusion d'une chute, elle tombait dans un gouffre sans fond ! Elle cria et ferma involontairement les yeux. Il y eut un choc horrible, un bruit de chair et d'os broyés.

Elle se retrouva une nouvelle fois assise sur son siège. Elle passa la main sur son front moite de sueur.

– Logicielle, dit Max, tu devrais t'arrêter. Tu sais qu'il est sept heures du soir ?

– Quoi ? Sept heures ?

– Oui. Et nous n'avons même pas déjeuné. Voilà plusieurs heures que tu te bats avec ce programme.

Elle n'était guère étonnée. Lorsqu'on joue ou travaille sur ordinateur, le temps s'écoule différemment, Logicielle en avait souvent fait l'expérience.

– Stop ! insista Max. Tu es épuisée.

C'est en se levant qu'elle s'en rendit compte : elle titubait et son regard était brouillé.

Elle imagina la colère des utilisateurs du programme lorsque ceux-ci, au prix de mille difficultés et après avoir vaincu les obstacles d'un long parcours, étaient parvenus à entrer dans le château... et se voyaient soudain renvoyés à la case départ à cause d'une inattention ou d'un simple battement de cils !

– Voilà pourquoi les victimes utilisaient des amphétamines, murmura-t-elle.

– Eh... j'espère que tu ne vas pas jouer à ça ?

– Non. D'abord, on n'obtient ces médicaments que sur ordonnance. Et puis je suis plus jeune qu'eux, je dois être plus résistante. Enfin, bien que les médecins légistes m'aient affirmé le contraire, je crains que l'usage immodéré de ces drogues ne soit en partie responsable des accidents cardiaques des victimes...

– Oui, murmura Max, j'imagine l'état du joueur : quinze ou vingt heures de veille et d'attention intensive... une angoisse permanente... une bonne dose d'autosuggestion. Et pour achever la future victime, une émotion violente qui la saisit au moment où elle est épuisée.

– Que veux-tu dire ?

– C'est un truc d'illusionniste. Demain, je te montrerai.

Le téléphone sonna et Logicielle décrocha. C'était Germain. Max appuya sur la touche haut-parleur et Logicielle le laissa faire.

– ... aviez raison, Logicielle ! J'ai identifié du premier coup l'édifice du programme *La Tour, Prends Garde*.

– C'est vrai ? Il existe donc ?

– Sans aucun doute. C'est le château de Grimoire. Son propriétaire en a complètement abandonné l'entretien depuis de nombreuses années. Une association a même été créée pour assurer sa sauvegarde car il a été pillé et dépouillé d'à peu près tout ce qu'il contenait.

– Où se trouve-t-il ?

– Non loin de chez moi. À trois kilomètres du château de Monbazillac. La semaine dernière, votre intuition était bonne, Logicielle. Rappelez-vous : vous avez pointé la mine de votre crayon sur la carte, au centre du cercle où se trouvaient réunies les six victimes de l'*ordinatueur*... Eh bien c'est là, à deux centimètres ! Nous sommes passés tout près de Grimoire quand nous avons déjeuné à Monbazillac, vous vous souvenez ?

– Pourquoi ne l'avons-nous pas visité ?

– Parce qu'il ne se visite pas, pardi ! C'est une propriété privée. Son accès est dangereux et interdit.

– Vous auriez pu au moins me le montrer !

– Ah, Logicielle, s'il fallait vous montrer les demeures de la région abandonnées par leurs propriétaires, ce n'est pas un week-end qu'il faudrait venir passer ici, mais trois mois de vacances.

Max s'acharnait sur son entrecôte.

– Ainsi, fulminait-il, Germain t'a invitée au restaurant dimanche dernier ? Et tu retournes le voir en fin de semaine ?

– Pour des raisons strictement professionnelles, Max. À ma place, tu n'irais pas jeter un coup d'œil au *vrai* château de Grimoire ?

– Si. Je serais même parti immédiatement. Mais moi, quand je me considère en mission, je refuse les propositions ambiguës. Et je ne bois jamais de Monbazillac pendant le service.

– Ne sois pas jaloux : ce soir, c'est bien toi qui m'invites, non ?

Max avait insisté pour l'emmener dîner à Paris. Logicielle avait accepté : elle n'avait pas envie de cuisiner et elle ne voulait pas non plus que Max reste chez elle.

Lorsqu'elle revint dans son studio, il était près de minuit. Elle se brancha sur Internet pour la forme, mais sa BAL était vide. Au moment de se mettre au lit, elle aperçut le reflet de sa lampe de chevet sur l'écran de l'OMNIA 3. C'était une sorte d'invitation, de clin d'œil, de signe.

Elle se releva, s'installa devant l'ordinateur et murmura :

– Juste un quart d'heure...

Cette fois, elle longea le mur, retrouva la partie effondrée et pénétra dans le parc. Il faisait nuit. Heureusement, la pleine lune illuminait les clairières. Soudain, Logicielle fut arrêtée par l'une des hautes murailles de l'édifice ; elle découvrit que certaines pierres saillaient et elle se lança dans l'escalade. Arrivée à dix mètres de hauteur, il n'existait plus aucune prise. Bloquée, en équilibre, elle enrageait. Elle répugnait autant à descendre qu'à fermer les yeux pour se déconnecter.

– Bon sang, Pyrrha, tu pourrais au moins me dire si je suis sur la bonne voie !

– *C'est gentil de me demander conseil, Logicielle,* répondit aussitôt la voix androgyne. *Je te trouve trop discrète.*

– Que dois-je faire ?

– *Regarde à ta droite. Tu devrais apercevoir une racine qui affleure.*

C'était vrai. Son regard s'y accrocha, monta plus haut.

– *Voilà... À présent, tu as une petite plateforme.*

Logicielle se hissa jusqu'à une fenêtre à meneaux. L'ouverture était très étroite.

– Pyrrha... Je peux entrer par là ? Est-ce que je ne vais pas tomber ?

– *Essaie, Logicielle, tu verras. Il faut bien que je te réserve quelques surprises, n'est-ce pas ?*

Elle passait ! Elle se trouvait à présent dans un vestibule obscur. Elle avança à l'aveuglette et il y eut un bruit sourd semblable à celui d'un corps qui heurte une paroi.

– Il fait sombre ici !

– *C'est normal. Il est presque une heure du matin.*

Logicielle comprit que le programme s'accouplait systématiquement à l'horloge de l'ordinateur. L'utilisateur de *LTPG* se trouvait ainsi dans les mêmes conditions d'exploration que dans la réalité. Elle avait été bien imprudente de risquer cette incursion nocturne ! Soudain, elle aperçut la clarté lointaine d'un vitrail coloré. Elle avança et, au bout d'une dizaine de mètres, pénétra dans une chapelle.

Le lieu baignait dans la clarté bleuâtre et crépusculaire de la lune. La nef étroite et haute était dentelée de pierres. Logicielle balaya du regard les sièges de bois, l'autel, les tableaux pieux ; elle contourna les fonts baptismaux ; leur énorme vasque de marbre rose était surmontée d'un dôme de chêne orné de chimères et d'angelots. Elle longea la chaire et, au moment où elle passait devant le confessionnal pour rejoindre le chœur, elle fut stoppée dans son élan.

– *Navré, Logicielle, mais on ne poursuit l'exploration qu'après avoir répondu à quelques questions.*

Incrédule, elle fit le tour de la chapelle mais se retrouva à nouveau face à l'allée centrale, à laquelle on l'empêchait d'accéder.

– *Eh oui, une confession est nécessaire. J'attends.*

– C'est une plaisanterie ?

Sans que le regard de Logicielle se fût déplacé,

l'image effectua un lent travelling pour revenir s'immobiliser sur le confessionnal. À contrecœur, Logicielle avança vers la grille de bois derrière laquelle des mouvements et la pâleur d'un visage trahissaient une présence. Fascinée, elle s'approcha, tenta de détailler les traits de son interlocuteur. Mais l'obscurité du lieu était épaisse. L'ombre du treillis de bois troublait quelque peu la vision ; impossible de déterminer s'il s'agissait d'un homme ou d'une femme !

– *T'appelles-tu réellement Logicielle ?*

– Je m'appelle Laure-Gisèle. Logicielle est le surnom qu'on me donne.

– *Quel âge as-tu ?*

– Vingt-cinq ans.

– *Es-tu mariée, as-tu des enfants ?*

– Non.

La voix était devenue chuchotante, invitant à la confidence. D'après ses intonations, Logicielle fut persuadée que c'était celle d'un homme.

– *As-tu déjà dérobé des objets d'art, Logicielle ?*

– Non, répondit-elle aussitôt.

– *Quel est ton métier ?*

Le mystérieux visage articulait ses questions. Une fois encore, Logicielle écarquilla les yeux puis elle y renonça : rien ne laissait supposer que l'individu reproduit derrière la grille était la copie conforme de l'auteur du programme !

– Je suis…

Elle hésita, réfléchit, puis déclara soudain :

– Je suis inspecteur de police, Pyrrha. Voilà la vérité.

Il y eut un long silence que Logicielle traduisit comme de la surprise. Mais non, bien sûr, il s'agissait là du temps de réaction nécessaire à l'enregistrement de sa réponse et au choix des questions qui découleraient de cette information.

– *Pourquoi es-tu venue ici, Logicielle ? Est-ce que ce sont vraiment les objets d'art qui t'intéressent ? Et lesquels en particulier ?*

– Je suis venue pour…

Logicielle avait appris à mentir à certains suspects. Quand on avait en face de soi un criminel à confondre, les ruses étaient nécessaires et le mensonge une technique d'instruction autorisée. Mais ici, elle jugea préférable de jouer le jeu jusqu'au bout.

– Je suis venue pour t'identifier, Pyrrha. T'identifier, te confondre et t'arrêter.

– *Pourquoi ?*

– Pour t'inculper de six assassinats.

– *Je ne comprends pas très bien,* dit Pyrrha. *Pourrais-tu formuler tes réponses d'une autre façon ?*

– Je te soupçonne, Pyrrha, de tuer les utilisateurs de ton programme. Tu as déjà fait six victimes. Et je dois te… te mettre en examen.

Logicielle songea : c'est d'ailleurs ce que je suis en train de faire. Puis elle se rendit compte qu'elle était exactement dans la situation inverse, c'était *elle* que l'auteur du programme LTPG examinait, en lui tirant les vers du nez, de l'autre côté de cette grille symbolique.

– *Six victimes…* murmura Pyrrha sans marquer la moindre émotion. *Puis-je connaître leurs noms ?*

Logicielle était dans un étrange état de fièvre et d'indécision. Devait-elle révéler la vérité à Pyrrha ? La lui dissimuler ? Quelles seraient les conséquences d'un aveu ? Et celles d'une traîtrise ? Quels mécanismes fabuleux l'auteur de LTPG avait-il programmés, qui lui permettaient tout à la fois d'enregistrer les renseignements que Logicielle lui fournissait et de répondre ou d'agir en fonction de ces nouvelles données ?

– Carrier, Maruani, Sauzon, Lavigne, Bron et Boulazac ! lâcha-t-elle dans un souffle.

– *Je te remercie, Logicielle,* dit Pyrrha. *À présent, tu es autorisée à poursuivre ta quête.*

Incrédule, Logicielle détourna le regard, s'éloigna du confessionnal et s'aperçut qu'elle pouvait maintenant quitter la chapelle. Elle emprunta un long couloir où d'impressionnantes armures, à intervalles réguliers, montaient la garde. Elle entra dans une chambre au centre de laquelle trônait un lit à baldaquin. Elle fit le tour de la pièce, examina un cabinet d'ébène, des tableaux…

– Celui-là, murmura-t-elle, je le reconnais !

C'était l'intérieur hollandais du XVIIe siècle qui se trouvait chez Boulazac, à Saint-Ouen – un tableau qu'elle avait d'abord failli attribuer à Vermeer ou Rembrandt. Un petit chef-d'œuvre qu'elle examina de près.

En fond sonore se devinait une musique médiévale dont le rythme régulier devenait lancinant. Logicielle revint dans le grand vestibule ; elle se dirigeait instinctivement vers la source de la musique. Bientôt, elle arriva dans une immense salle à manger. Là encore, elle crut reconnaître, dans un angle de la pièce, le coffre Renaissance qu'elle avait aperçu à Eymet, dans l'appartement d'Antoine Bron.

Elle ne savait où porter le regard ; le mobilier, les tableaux, les bibelots – vases, horloges, vaisselles dans les vitrines – rivalisaient de finesse et de qualité. En effectuant cette promenade virtuelle, Logicielle ressentait une étrange impression de recueillement et de sérénité. Il lui était difficile d'admettre que se dissimulait quelque part un piège susceptible de tuer l'utilisateur du programme.

– Tout ça ne me dit pas où se trouve le Trésor, murmura-t-elle.

– *Je croyais que le Trésor ne t'intéressait pas,* dit Pyrrha. *M'aurais-tu menti, Logicielle ?*

– Non. Mais je crois qu'il s'agit d'un leurre vers lequel tu attires tes victimes pour mieux les assassiner. Je voudrais arriver jusqu'à lui et comprendre...

– *Crois-tu que le Trésor soit si facile à découvrir ?*

Logicielle ouvrit une porte... et déboucha dans le grand salon d'honneur. Elle songea qu'il était temps de revenir à la réalité pour noter au plus vite la disposition des lieux. En établissant un plan précis du château, elle s'orienterait aisément et gagnerait du temps dans ses recherches.

Son regard se déplaça vers le grand coffre Renaissance en noyer, ébène et ivoire. Elle s'attarda à examiner l'étrange scène mythologique, ce guerrier grec à l'expression farouche vers le visage duquel l'image effectuait un zoom lent et régulier.

Il y eut un flash éblouissant.

Logicielle sursauta. Seule, muette, désemparée, elle faisait face à l'OMNIA 3.

Il était deux heures du matin.

– Tiens, vous voilà ? constata Delumeau sur un ton faussement détaché. Vous vous êtes faite très rare au commissariat, cette semaine, Logicielle !

Elle ne répondit pas. Il était délicat de révéler à son supérieur qu'elle passait tout son temps chez elle, à jouer sur un ordinateur avec un programme baptisé *La Tour, Prends Garde* !

– Monsieur Kostovitch m'appelle chaque matin, reprit Delumeau avec une voix pleine de reproche. Il me demande où vous en êtes, il redoute que je lui annonce la découverte d'une nouvelle victime.

Elle eut envie de lui rétorquer que la prochaine victime, ce serait peut-être elle ! Voilà trois jours qu'elle jouait au chat et à la souris avec Pyrrha sans parvenir à découvrir où se dissimulait le fameux Trésor. Grâce à ses fréquentes incursions dans le programme, elle avait reconstitué un plan précis du château. Mais il devait encore exister des souterrains qu'elle n'avait pas découverts. À plusieurs reprises, elle était tombée dans des oubliettes ; mais elle n'avait pu les explorer car sa chute avait automatiquement entraîné la déconnection du programme.

– Logicielle ? C'est gentil de nous rendre visite !

Max se pencha vers elle et ajouta avec espoir, à voix basse :

– Tu aurais besoin d'un coup de main, aujourd'hui ?

– Non merci, Max. Delumeau n'apprécierait pas que je te réquisitionne.

– Crois-tu qu'il appréciera, quand j'irai reconnaître ton corps, un matin, après que Pyrrha aura eu ta peau ?

– Si un accident devait se produire, je ne vois pas comment ta présence pourrait l'éviter.

Max sortit de sa poche une balle de ping-pong orange et un canif.

– Tu te souviens du tour de magie dont je t'avais parlé ?

– Écoute Max, soupira-t-elle, ce n'est vraiment pas le moment.

– Attends. C'est important. Tu as tout de même une minute, non ?

Il saisit l'avant-bras de Logicielle et l'obligea à tendre la main ; puis il lui mit la balle de ping-pong entre le pouce et l'index.

– Voilà. Tu ne bouges pas. Tu tiens bien la balle ? Tu en es sûre ?

– Certaine. Je ne la lâcherai pas. Fais vite, s'il te plaît.

Son collègue s'éloigna de trois ou quatre pas, ouvrit son canif et le brandit à bout de bras, comme s'il s'apprêtait à frapper.

– C'est simple. Tu vois ce couteau ? Eh bien il est magique ! Oui : il peut blesser à distance.

La preuve, c'est que lorsque j'abaisserai la lame, je te tailladerai le bras et tu lâcheras la balle. Qu'est-ce que tu en dis ?

– Je n'en crois pas un mot. Essaie toujours.

– Tends bien le bras. Attention : je compte jusqu'à dix. Un... deux...

Lorsque Maxime cria : « Dix ! » il plongea le couteau dans le vide. Et à trois mètres de là, Logicielle ressentit une vive brûlure au-dessus de son poignet droit. Elle poussa un bref cri de surprise ; elle lâcha la balle de ping-pong qui rebondit deux ou trois fois... avant d'atterrir sur les chaussures du commissaire qui les observait.

– Passionnant, grommela-t-il en ramassant la balle. Je suppose que ce petit jeu fait partie de votre enquête ?

Il renifla bruyamment et lança la balle à Max qui l'attrapa au vol. Puis il s'éloigna dans le couloir en hochant la tête avec une irritation mal contenue.

– C'est incroyable !

Logicielle observait son bras sur lequel rougissait une imperceptible balafre. Mais ce n'était pas une coupure.

– Explique-moi, Max ! Montre-moi ton couteau.

C'était un canif ordinaire. Maxime sortit de sa poche un coton humide.

– Le secret, le voilà : avant de te présenter le tour, j'ai pris soin d'imbiber ce coton d'un produit irritant. Quand je t'ai saisi l'avant-bras, j'ai attiré ton attention sur la balle ; ainsi, tu n'as pas remarqué que je passais ce coton sur ta peau. Attention : l'effet n'est pas immédiat. Il a lieu lorsque le liquide pénètre sous l'épiderme, trente ou quarante secondes après qu'on l'a appliqué.

– Mais comment as-tu calculé avec cette précision… ?

– Je n'ai rien calculé du tout. L'effet est psychologique : en réalité, tu ignores la douleur, même si tu commences à la ressentir, car tu es concentrée sur mes gestes, sur la balle que tu tends et que tu ne dois pas lâcher, sur le couteau que je brandis et sur le compte à rebours. Mais au moment où je prononce « dix » en abaissant mon couteau, tu as soudain mal ! Parce que la douleur était prévue, annoncée. Voilà pourquoi tu la ressens à cet instant précis.

– Intéressant, admit Logicielle qui était troublée par la démonstration.

– À mon avis, notre ami Pyrrha joue avec les mêmes ingrédients : un peu de pharmacie, une ambiance adéquate, beaucoup de suspens… Et un effet final nettement plus destructeur ! Songe que les victimes n'attendent pas dix secondes, mais quinze ou vingt heures.

– Tu en as beaucoup d'autres, des tours de magie ?

– Autant que tu voudras ! répondit-il en sortant vivement de sa poche un dé à coudre et une ficelle.

Elle désigna à Max le commissaire Delumeau qui les guettait à l'extrémité du couloir.

– Écoute Logicielle, chuchota-t-il, nous

sommes vendredi après-midi. Si tu acceptais que ce week-end... ?

– Impossible, je pars ce soir pour Bergerac et je ne reviendrai que dimanche. Je suis venue prendre quelques documents. Ton tour de magie était formidable, si, je t'assure ! Allez, à lundi.

Elle adressa un sourire à Max qui lui répondit par un regard de chien battu.

Rentrée dans son studio, Logicielle boucla son sac de voyage. Elle téléphona à la météo et régla le climatiseur. La fin de cette interminable vague de chaleur était prévue pour le week-end. On attendait un peu partout des orages. La température avait encore monté et le ciel avait pris une teinte gris acier.

Logicielle se demandait si ce voyage à Bergerac s'imposait. La clé des meurtres se trouvait dans le programme, et elle ne l'avait pas décodée. Visiter le château de Grimoire était superflu : Germain ne s'y était-il pas risqué plusieurs fois dans la semaine ? Il n'avait rien découvert qui fasse avancer l'enquête.

Elle avait cru reconnaître dans le programme LTPG certains meubles ou tableaux entrevus chez l'une ou l'autre des victimes. Mais ces indices ne constituaient pas l'ombre d'une preuve de vol : le dénommé Pyrrha avait fort bien pu reconstituer des images de synthèse à partir d'œuvres d'art aperçues ou photographiées chez des clients ou des amis. Par ailleurs, si les victimes étaient vraiment coupables, elles avaient payé ces larcins de leur vie !

Elle constata qu'il lui restait près de trois heures avant le départ du train. Elle régla la sonnerie de son réveil et s'installa devant l'OMNIA 3.

Elle s'engagea dans la caverne. Elle avançait avec prudence : désormais, elle savait qu'au bout de ce boyau existait un gouffre. Cette fois, elle le localisa sans peine. Cette issue l'intriguait : elle était persuadée qu'en arrivant au fond de ce trou, elle rejoindrait les souterrains du château. Elle tenta une descente en effectuant un mouvement de spirale. Trois fois, elle trébucha, dégringola et fut déconnectée. Entêtée, elle insista et finit par découvrir une corniche. Elle ignorait à quelle distance se trouvait le niveau du sol ; elle voulut jeter un coup d'œil en contrebas... et fut précipitée dans le vide !

Mais la distance qui la séparait du fond était faible : au lieu de la chute interminable habituelle, il y eut un choc sourd et un cri. Lorsqu'elle entendit le bruit d'une allumette qu'on frotte et vit une torche enflammée éclairer les parois du conduit, elle comprit qu'elle avait réussi...

Elle se trouvait bel et bien dans une oubliette ! Le sol était jonché d'ossements qui craquèrent quand elle avança. Ces squelettes faisaient-ils partie du programme initial ? Étaient-ils la conséquence de l'échec et de la mort de ses prédécesseurs ? Elle comprit vite l'absurdité de sa seconde hypothèse ; mais depuis qu'elle avait rejoint les sous-sols, l'angoisse qui la tenaillait noyait peu à peu son bon sens. Elle se demanda ce qui provoquait cet effroi grandissant. Certes, les lieux étaient sinistres ; il suintait des murs glauques une humidité suspecte et malsaine ; on eût dit que les parois transpiraient. Son visage était balayé par un léger courant d'air ; elle croyait respirer une odeur âcre et fétide. Devant elle, la clarté vacillante de la torche n'éclairait que trois ou quatre mètres de boyau ; le reste était noyé dans une obscurité violette d'où surgirait d'une seconde à l'autre, elle en était sûre, une créature d'épouvante.

Tout à coup, elle comprit l'origine de son malaise : sa progression dans le souterrain était escortée par une musique imperceptible, un chant funèbre que psalmodiaient des chœurs lointains, une prière lugubre que scandaient des coups sourds et réguliers. Bientôt, elle s'aperçut que le rythme de cette mélodie s'accélérait insensiblement et que, l'angoisse aidant, les battements de son cœur accompagnaient cette cadence infernale sans qu'elle pût les ralentir.

Et cependant, elle avançait, sans avoir la force ni la volonté de freiner ou de reculer, dans un état proche de l'hypnose.

Alors, elle sut qu'elle approchait du but. Loin, très loin, à l'arrière-plan de sa conscience troublée, une voix faible lui intimait l'ordre de s'arrêter, de fermer les yeux, de se réveiller. Mais une volonté plus puissante que la sienne la poussait à se hâter ; telle une somnambule qui erre dans un cauchemar, elle se précipitait vers un désastre qu'elle savait ne plus pouvoir ni vouloir éviter.

Elle arriva soudain à la jonction de plusieurs tunnels. Là, au centre de ce vaste carrefour s'élevait une sorte de sanctuaire : un tumulus grossier fait de larges briques de plâtre maçonnées.

À présent, la mélopée était lancinante ; Logicielle sentait son cœur battre à grands coups. Elle comprit qu'en fixant ce dôme, elle finirait par s'y précipiter et sans doute par l'éventrer. C'est d'ailleurs ce que lui suggérait la musique, dont le crescendo devenait intense, irrésistible...

– *Qui êtes-vous ?*

La voix de Pyrrha avait surgi, inquiète, impérieuse. La magie du moment s'évanouit d'un coup.

– *Identifiez-vous, s'il vous plaît.*

– Je... Logicielle ! C'est moi : Logicielle.

– *Comment es-tu arrivée ici ?*

Elle balbutia :

– Je... je suis entrée dans la caverne ! Je suis descendue dans le gouffre.

– *Il n'était pas prévu qu'on rejoigne les souterrains de cette manière.*

– Mais c'est possible ! s'exclama-t-elle. La preuve, c'est que...

– *Tu n'as pas emprunté la voie habituelle. Cet endroit est dangereux et tu le sais. Ta place n'est pas ici, Logicielle. Déconnecte-toi immédiatement.*

Elle hésita. Si Pyrrha souhaitait que les intrus n'aillent pas plus loin, pourquoi n'avait-il pas prévu une sécurité ? Pourquoi n'interrompait-il pas le programme ?

Un signal strident retentit. La voix de Pyrrha débita de nouveaux ordres que Logicielle n'entendit pas. Alors, du fond de sa mémoire troublée surgit peu à peu le souvenir du réveil dont elle avait réglé la sonnerie : oui, il lui fallait quitter le studio, se rendre à la gare, prendre le train pour rejoindre, à Bergerac, Germain.

– C'est vrai... Germain !

Elle détourna la tête avec difficulté, comme s'il lui en coûtait de s'arracher à un mauvais rêve.

La réalité de son studio s'imposa ; elle aperçut son sac de voyage sur le lit, le réveil qui grelottait sur la table et, devant elle, l'ordinateur dont l'écran était redevenu obscur.

Elle avait l'impression d'émerger d'un cauchemar épouvantable...

Germain vint chercher Logicielle à la gare de Libourne.

Ils bavardèrent pendant le trajet qui lui sembla désormais familier : dans la nuit, les silhouettes des châteaux et les tracés des vignobles dessinaient un paysage ordonné, rassurant.

Ils dînèrent légèrement et se couchèrent de bonne heure.

Germain réveilla Logicielle à l'aube : il voulait partir assez tôt pour éviter la chaleur. Contournant Bergerac, l'inspecteur emprunta la route d'Eymet ; à peine le château de Monbazillac fut-il en vue que le véhicule bifurqua sur un petit chemin de campagne. Après deux kilomètres de parcours sinueux, ils parvinrent au sommet d'un coteau et Logicielle étouffa une exclamation de surprise.

– Impressionnant, n'est-ce pas ? dit Germain. Voici le château de Grimoire.

Adossé à un escarpement rocheux qui bordait une vallée verdoyante se dressait un imposant château. La copie conforme de celui que Logicielle connaissait grâce à LTPG.

Germain gara sa voiture devant la grille que fermait un gros cadenas.

– Je ne connaissais pas cette pancarte, nota Logicielle.

Accrochée aux barreaux, elle précisait : *Propriété privée. Entrée interdite.* Germain désigna à sa collègue les écriteaux fixés au-dessus du mur d'enceinte.

– Vous voyez, il y en a un peu partout...

Certains affichaient : *Danger.* D'autres : *Attention, pièges !*

– Précautions inutiles, grommela Germain. Le château a été pillé. Venez, le mur est éboulé de ce côté.

– Oui, je sais.

Logicielle reconnut à peine le parc. Il était en plus mauvais état que celui du programme ; ici, les broussailles semblaient plus hautes et plus nombreuses, et les détériorations plus graves. Elle désigna un fourré derrière lequel se devinait une gueule obscure.

– Là-bas, dit-elle, il existe l'entrée d'une caverne qui communique avec les souterrains du château.

L'inspecteur parut impressionné.

– En effet, c'est exact. Du moins ça l'était ; car un effondrement important rend désormais cette issue inaccessible. Peut-être s'agit-il d'une mesure de sécurité volontaire : la grotte s'ouvrait sur un gouffre qui a été à l'origine de nombreux accidents. Aujourd'hui la caverne est murée, ce qui dissuade les imprudents.

– Dites-moi, Germain, vous me semblez très au courant ?

– Ma foi, vous êtes presque aussi bien renseignée que moi ! Depuis votre appel de lundi dernier, je me suis documenté sur le domaine et sur son histoire. D'ailleurs, nous déjeunons avec la responsable du comité de défense de Grimoire. Elle vous en apprendra plus que moi. Eh... mais vous connaissez le chemin ?

Logicielle avait rejoint le sentier muletier.

– Ma foi, constata-t-elle, il est moins escarpé que je ne l'avais craint.

– Oh, il faut être un peu entraîné pour escalader le mur. Mais voyez : j'y parviens sans mal.

Le dernier à-pic était semblable au souvenir que Logicielle en avait ; mais les prises étaient faciles et nombreuses.

Dans son programme, Pyrrha avait exagéré et multiplié les difficultés ; à moins que de nombreux visiteurs n'aient peu à peu élargi le sentier et aménagé dans la muraille une façon d'escalier.

Après un dernier rétablissement, ils se hissèrent d'un même mouvement au-dessus du mur d'enceinte. Ils étaient dans la cour. Logicielle reconnut le large escalier de pierre.

– Il y avait des statues, ici ! affirma-t-elle en désignant les socles vides.

– Sans doute. Mais voilà belle lurette qu'on les a enlevées ! À l'heure qu'il est, elles se trouvent chez un antiquaire de la Côte d'Azur ou dans la propriété d'une star.

Logicielle avança vers la porte d'entrée et son

cœur se serra : les panneaux centraux avaient été enlevés, les gonds de bronze arrachés.

Des fenêtres, il ne subsistait que les meneaux de pierre. Logicielle se souvint des vitraux qui les ornaient ; à présent, le vent s'engouffrait dans ces ouvertures béantes que la végétation envahissait. C'était une vision de désolation.

– Mais… n'importe qui peut entrer ?

– N'importe qui est entré, rectifia Germain.

Ils pénétrèrent dans le salon d'honneur. Les meubles, les tableaux et même les portes avaient disparu. Un rectangle clair sur un mur attestait l'ancienne présence d'une cheminée qu'on avait dû démonter pierre par pierre. Le sol était jonché de gravats ; les dalles de marbre n'étaient plus là, elles aussi avaient été récupérées au cours d'un pillage systématique.

Dans les autres pièces, Logicielle constata que les planchers de marqueterie et de chêne avaient été arrachés. On avait démonté et dérobé les rampes de bois et de fer forgé des escaliers.

– Logicielle ? Où allez-vous ?

– Dans la chapelle.

Elle aurait pu se diriger dans le château les yeux fermés ; mais elle avait du mal à réprimer son dégoût et ses larmes. Tant de détermination dans le vandalisme lui levait le cœur. Ce n'était pas ici la mise à sac de révolutionnaires en colère, mais le saccage froid et organisé de cambrioleurs méthodiques.

La chapelle offrait le même spectacle de déprédation : il n'y avait plus aucune statue ni aucun vitrail. Des fonts baptismaux, seul subsistait le socle en pierre, scié par une tronçonneuse. Les chaises, les bancs, le confessionnal et la chaire avaient disparu.

– Le pillage ne date pas d'hier, constata Logicielle.

– Il remonte à plusieurs années, pourquoi ?

– Parce que le programme LTPG, lui, est très récent. Il a été conçu après la mise sur le marché des ordinateurs capables de le faire tourner.

– Forcément ! Et alors ?

– Alors, poursuivit Logicielle, quelque chose ne colle pas ! Ceux qui ont dévalisé Grimoire ne peuvent pas être ceux qui ont utilisé LTPG.

– Ma foi, vous avez raison ! déclara Germain, stupéfait.

Ils revinrent dans le salon d'honneur et sortirent dans la cour.

Logicielle s'approcha d'une grande margelle de pierre envahie par le lierre ; c'était un puits fermé par une grille. Elle se pencha, aperçut la tache claire de l'eau dix ou douze mètres en contrebas.

– Mais oui, s'exclama Germain, le château a été pillé avant le lancement de LTPG ! En ce cas, comment expliquez-vous... ?

– La personne qui se cache sous le nom de Pyrrha connaît parfaitement le château de Grimoire. Elle l'a même visité à l'époque où il était meublé. C'est pourquoi elle a pu fidèlement reconstituer l'intérieur du domaine dans son programme.

– D'accord. Mais dans quel but, puisque...

– Attendez, Germain : dans un souci de vraisemblance. Pour montrer à ceux qui connaissaient Grimoire qu'elle ne se moquait pas d'eux. Pour les convaincre et les allécher...

– J'y suis ! s'exclama Germain. Il a tendu un piège aux pilleurs !

– Oui. Convaincus par les connaissances de Pyrrha, les utilisateurs de LTPG – mais uniquement ceux qui avaient dévalisé Grimoire ! – ont donné dans le panneau du Trésor.

– Ce Trésor, vous n'y croyez donc pas ?

– Le Trésor, c'est la mort, répondit Logicielle en réprimant un frisson. C'est la récompense que Pyrrha réserve aux prédateurs du domaine.

– Et lorsqu'il affirme qu'une fois le Trésor trouvé, les utilisateurs du programme auront accès à d'autres châteaux ?

– Il ment, dit Logicielle. Grimoire est un appât. Seuls y mordent les gens suffisamment informés de ce que le château a jadis renfermé.

– Encore faut-il qu'ils se procurent le programme, qu'ils devinent comment lire les images en trois dimensions...

– ... et qu'ils connaissent le passage vers les souterrains ! acheva Logicielle. Un passage que je n'ai pas trouvé, même si je suis parvenue à approcher du fameux Trésor.

– Que dites-vous ? demanda Germain d'une voix blanche.

– Mais Pyrrha m'a dissuadée de franchir les

derniers mètres. Comme s'il avait voulu m'éviter le pire au dernier moment.

– Mais... pourquoi vous aurait-il épargnée ?

– Parce que je ne fais pas partie de ceux qu'il veut supprimer.

Dans la ferme-auberge où il avait retenu une table pour déjeuner, Germain présenta à Logicielle Mme Lafoucrière, la présidente du comité de défense du château de Grimoire. Leur invitée s'était mise sur son trente et un ; malgré la chaleur, elle portait un tailleur élégant comme si allait lui être présenté le ministre de la Culture.

– Ah, mademoiselle, dit-elle en serrant la main de la jeune inspectrice, si vous voulez connaître l'histoire de ce domaine, ce n'est pas deux heures qu'il faudrait, mais deux mois...

– Ma collègue souhaiterait un simple résumé du passé récent du château, dit Germain.

Mme Lafoucrière était née dans cette région qu'elle aimait et connaissait bien. Elle ne fit pas grâce à Logicielle d'un historique complet de Grimoire, dont les parties les plus anciennes dataient du XIIe et du XIIIe siècle ; le bâtiment avait été reconstruit et complété à la Renaissance, à l'époque où Montaigne et Henri IV sillonnaient la Guyenne pour des affaires de religion, de politique et de cœur.

– Après 1950, acheva-t-elle, le château fut occupé et entretenu pendant plus de trente ans par son dernier propriétaire, monsieur de

Chiron. Je l'ai bien connu. C'était un homme d'une grande simplicité ; sa fortune ne lui avait pas tourné la tête. Malheureusement, il n'était pas marié et il est mort sans enfant reconnu. Ses seuls héritiers étaient des neveux et des nièces. Incapables d'assumer les frais de succession et l'entretien du château, ils l'ont mis en vente. Le domaine fut acheté par un riche industriel de Dakar ; mais il n'est jamais venu voir sa propriété !

– Attendez, dit Logicielle. Il n'a donc pas visité Grimoire ?

– Non. Il a été séduit par les photos et surtout par le prix. À ses yeux, c'était sans doute un bon placement. Seulement voilà : des gens mal intentionnés ont vite appris qu'existait ici un château inhabité. Il y avait bien un gardien, mais vous avez vu que le domaine est immense. Et puis un jour, le gardien n'a plus été payé et il est parti. Le château a été pillé : d'abord les meubles et les tableaux, puis les lustres, les statues, les cheminées...

– J'ai vu, dit Logicielle. Il ne reste plus rien.

Mme Lafoucrière eut une grimace de dépit et poursuivit :

– Les gens de la région étaient consternés de voir que peu à peu, Grimoire était vidé de son contenu et que, faute d'entretien, il commençait à se délabrer. Un comité de défense s'est constitué. Bien sûr, nous avons averti le propriétaire, il n'a pas daigné nous répondre. Nous avons alerté le service des Bâtiments de France, entrepris une action judiciaire pour classer le domaine et obtenir une préemption pour son rachat. Hélas, des dizaines de millions seraient aujourd'hui nécessaires pour le remettre en état. Ce bâtiment fait partie de notre patrimoine, mademoiselle !

– Tout à l'heure, madame, dit Logicielle, vous avez affirmé que monsieur de Chiron était mort sans enfant reconnu… Qu'entendez-vous par là ?

Un sourire nostalgique effleura les lèvres de Mme Lafoucrière.

– Oh, il est bien possible que M. de Chiron ait eu un enfant ! C'est du moins ce qu'affirmait la rumeur, il y a une vingtaine d'années. Mais nul ne connaît la vérité à son sujet. Bien malin qui découvrira ce mystérieux héritier !

– Ce ne serait pas un héritier, dit Logicielle, il n'aurait aucun droit légal sur Grimoire.

– Et puis, ajouta Germain, on se demande ce qu'il ferait du château, dans l'état où il est aujourd'hui.

Ils reprirent la route de Bergerac ; il était trois heures de l'après-midi. Logicielle sortit un papier de sa poche.

– Germain, connaissez-vous l'avenue Maine-de-Biran ?

– Ma foi oui. Vous voulez que nous y allions ?

– Oui, s'il vous plaît. Il y existe un magasin d'informatique.

– Vous avez besoin de matériel pour votre OMNIA 3 ?

– Non. Je cherche à retrouver la trace de Pyrrha.

– Et vous croyez que... ?

– Oui. C'est clair : Pyrrha maîtrise la CAO. Il a fréquenté le milieu de l'informatique, donc les magasins de Bergerac et de sa région. À mon avis, on doit le connaître.

– Et s'il habitait Paris ou Bordeaux ?

– En ce cas, il n'aurait pas conçu un programme reproduisant si fidèlement Grimoire. N'oubliez pas, Germain, que les victimes étaient de la région. Je suis sûre que le meurtrier n'est pas loin. Et puis, je ne sais pas pourquoi... mais j'associe malgré moi le nom de Pyrrha à celui de monsieur de Chiron.

Dans le magasin de l'avenue Maine-de-Biran, le vendeur leur avoua s'être installé depuis peu.

– Allez plutôt vous renseigner auprès du gérant d'*Informatic Center*, rue Elisée-Reclus, leur recommanda-t-il. Vous aurez vite fait le tour du problème : nous ne sommes que quatre sur la région !

C'était à deux cents mètres de là, près de la petite place où se dressait la statue de Cyrano. Le magasin grouillait d'activité, il s'y pressait une foule de jeunes qui testaient de nouveaux programmes.

– La police ? Ah bon ? Venez par ici...

Le gérant, un homme d'une trentaine d'années à moustache et lunettes, les entraîna dans une pièce qui jouxtait le magasin.

– Rien de grave, j'espère ?

– Non, dit Logicielle. Nous aimerions savoir si vous avez parmi vos clients un spécialiste de la réalité virtuelle qui aurait pu imaginer un super-programme...

– Ma foi, fit l'autre en désignant le magasin, j'ai ici des dizaines de personnes susceptibles de faire l'affaire !

– Non. Vous nous avez mal compris. Il s'agit d'un véritable surdoué. Un petit génie. Quelqu'un qui aurait conçu un programme de plusieurs gigaoctets. Un truc qui ne tournerait que sur un OMNIA 3.

Le gérant réfléchit. Puis il déclara :

– Il y a bien eu le petit Vidal. Ah, celui-là, on ne pouvait rien lui apprendre, il avait l'informatique dans le sang !

– Le petit Vidal ?

– Oui. Un gamin que j'ai employé comme vendeur il y a cinq ou six ans. Il n'avait pas vingt ans, à l'époque ! Je ne l'ai pas gardé. Il n'avait pas le sens du commerce. Par contre, c'était un petit génie, ça oui, en effet ! D'ailleurs, il est revenu me voir l'an dernier. Il travaillait à NCF, vous savez, Neuronic...

– ... Computer France, compléta Logicielle le cœur battant. Oui, nous savons. Dites-moi, quel est son prénom ? Où habite-t-il ? C'est très important !

– Ma foi, fit l'autre en guettant les clients dans son magasin, je crois n'avoir jamais connu son prénom. Ici, tout le monde l'appelait le petit Vidal ! Mais je vous retrouverai ça très vite, j'ai mes dossiers à la maison, je suis en règle, vous savez !

– Nous n'en doutons pas, dit Germain. Mais voilà, l'affaire est urgente.
– Je ne sais pas ce qu'il est devenu ; il a pu changer d'adresse... Écoutez, je vous appellerai ce soir, ça ira ?
Il désigna la foule dans son magasin, expliqua, embarrassé :
– Le samedi, j'ai beaucoup de clients !
– Appelez-nous dès que vous aurez ces renseignements, dit Logicielle. Même tard, n'hésitez pas.
Elle lui confia le numéro de son téléphone portable.
Quand ils sortirent du magasin, Logicielle tremblait d'excitation, elle était dans un état de nervosité extrême. Au point que Germain l'obligea à s'asseoir à la terrasse d'un café.
– Par pitié, calmez-vous ! Que se passe-t-il ?
– C'est lui, murmura-t-elle. C'est lui, évidemment ! Nous brûlons, Germain, nous brûlons...
– Ne bougez pas d'ici. Je commande deux citrons pressés et je fais une petite recherche sur minitel. J'en ai pour une minute.
– Une recherche sur minitel ?
– Oui. J'aimerais savoir combien il y a de petits Vidal à Bergerac.
Elle approuva en sortant son combiné.
– Et moi, dit-elle, je vais tenter de découvrir ce qui relie Pyrrha à Chiron...

Son interlocuteur décrocha immédiatement.
– Max ? C'est Logicielle. Je t'appelle de Bergerac.

– Ça c'est drôlement gentil !

– Non. C'est intéressé. J'aimerais que tu consultes une encyclopédie, Maxime. Je veux des renseignements sur Pyrrha et Chiron…

– Quoi ? Mais où veux-tu que je déniche une encyclopédie un samedi après-midi ?

– Tu n'as pas ça chez toi ? Tu n'as qu'une vidéothèque avec l'intégrale des James Bond ?

– Ne te fiche pas de moi : j'ai un bon dictionnaire. Et je suis en train de le consulter, voilà : euh… je n'ai rien à Pyrrha. Et Chiron était… un centaure de la mythologie grecque.

– C'est tout ? Écoute Max, tu peux sauter sur ta moto et filer au commissariat ? Dans le tiroir central de mon bureau, tu trouveras un double des clés de mon studio.

– Ton studio ?

– Oui. Quand tu seras chez moi, tu brancheras l'OMNIA 3. À côté de l'ordinateur, tu apercevras plusieurs encyclopédies sur CD-Rom. Dès que tu auras les renseignements, appelle-moi.

Elle rangeait son téléphone portable lorsque Germain revint s'asseoir en face d'elle.

– Il y a huit Vidal à Bergerac, dit-il. Voulez-vous que nous leur rendions visite ?

– Inutile. Attendons que le gérant d'*Informatic Center* nous appelle.

Un grondement lointain les fit sursauter. Germain désigna le ciel, où s'amoncelaient des nuages noirs.

– Enfin, dit-il, ça va craquer ! Voilà des semaines qu'on attendait la pluie.

Assis à la terrasse du café, ils observèrent, à l'ouest, les premiers éclairs violets. Soudain, le téléphone de Logicielle bourdonna.

– C'est Supermax ! Je suis chez toi, devant ton OMNIA 3. Tu as de quoi noter ? Les noms de Pyrrha et de Chiron m'ont renvoyé à celui d'Achille. Tu m'écoutes ? Voilà : « Achille, héros homérique dépeint comme le plus brave et le plus puissant guerrier pendant le siège de Troie. Il est élevé par le centaure Chiron ». Je continue ?

– Continue, dit Logicielle.

– « À la suite d'une prédiction, et afin de lui éviter la mort pendant la guerre de Troie, sa mère l'envoie chez le roi Lycomède où il séjourne déguisé en femme sous le nom de Pyrrha. »

– Pyrrha, c'est donc Achille ! murmura Logicielle. Achille dissimulé sous ce nom d'emprunt ! Achille qui a été élevé par Chiron...

Elle fronça les sourcils, comme pour repartir à la recherche d'un autre souvenir. Max poursuivit :

– « Au siège de Troie, il se montre invincible. Furieux contre Agamemnon qui lui avait ravi sa captive Briséis, il se retire sous sa tente, refusant de continuer le combat. La colère d'Achille est l'un des épisodes les plus célèbres de l'Iliade. »

Logicielle revit aussitôt le motif central du coffre Renaissance du salon d'honneur de Grimoire : le guerrier grec qui pénétrait sous cette tente était Achille ! Achille qui repartirait au combat et qui mourrait d'une blessure au talon, son seul point faible.

– Merci, Max, lui dit-elle. Je connais la suite !

Elle raccrocha, murmura comme pour elle-même :

– Achille... il me semble avoir vu ce nom récemment, mais où ?

– Que ce soit Pyrrha ou Achille, nous ne sommes guère plus avancés !

– Pouvons-nous rentrer chez vous, Germain ? J'aimerais vérifier quelque chose dans mes dossiers.

Quand ils quittèrent Bergerac, de grosses gouttes commençaient à tomber. Un quart d'heure plus tard, ils arrivèrent dans la maison de l'inspecteur. Logicielle consulta les notes qu'elle avait emportées. Elle retrouva une liste sur laquelle figuraient de nombreux noms, prénoms et chiffres. Elle sursauta soudain :

– Germain, regardez, c'est ici ! *Germaine Vidal 14/10/58... Jean-Michel 19/02/84... Achille 26/06/75...*

– Qu'est-ce que c'est que cette feuille ? demanda l'Inspecteur.

– L'inventaire des noms, prénoms et dates de naissance des parents et des proches de Jean Boulazac. Un petit travail que j'avais demandé à son épouse. J'espérais trouver dans cette liste le code d'accès à l'OMNIA 3 de la victime. En fait, le code était le nom du médicament que Boulazac utilisait, le Modiol.

– Mais Achille… qui est-ce ? demanda Germain.

– Le fils aîné de madame Boulazac ! Madame Boulazac née Vidal.

Dans la grande maison périgourdine de l'inspecteur Germain, il régnait à présent une clarté crépusculaire ; une pluie régulière et forte hachait l'herbe du jardin.

– Eh bien voilà, murmura-t-il. Vous tenez sans doute votre coupable, Logicielle ! Il ne vous reste plus qu'à retourner chez madame Boulazac, à Saint-Ouen. À l'interroger pour savoir où se trouve son fils. Et à demander au juge d'instruction la mise en examen d'Achille pour qu'il nous révèle comment il a conçu son programme diabolique. Vous avez suffisamment de preuves pour l'arrêter rapidement.

– L'arrêter ? Cela risque d'être difficile, dit Logicielle en soupirant.

– Et pourquoi donc ?

– Parce qu'Achille est mort à la fin de l'année dernière.

L'autoroute A 10, dite l'*Aquitaine*, était quasiment déserte ce samedi soir. Une bourrasque déporta le véhicule de Germain qui ralentit encore l'allure. Il bougonna :

– Quand je pense que la vitesse est limitée à cent dix et que je roule à quatre-vingts ! Avec ce temps pourri, nous ne serons pas à Paris avant vingt-trois heures…

– C'est sans importance, dit Logicielle. Madame Boulazac a affirmé qu'elle nous attendrait, même si elle n'a pas très bien compris pourquoi nous souhaitions la voir. Par contre, Germain, vous auriez pu vous dispenser de ce long trajet : il m'était facile de revenir en train.

– Bah, ce petit voyage éclair me permettra de rencontrer Maxime !

– Un voyage éclair, en effet, dit Logicielle.

Au-dessus d'eux, l'orage se déchaînait. Quand Germain avait rejoint l'entrée de l'autoroute à Saintes, des trombes d'eau les avaient assaillis.

C'est local, avait estimé l'inspecteur en désignant l'autoradio. À Paris, il paraît que le ciel est dégagé. Mais l'orage se déplaçait dans la même direction et à la même vitesse qu'eux.

Le téléphone de Logicielle bourdonna. C'était le gérant d'*Informatic Center.*

– J'ai vos renseignements ! Le petit Vidal se prénommait…

– Achille, compléta Logicielle.

– Ah bon ? Vous étiez au courant ? Et il y a cinq ans, quand je l'ai employé, il n'habitait pas Bergerac mais…

– Sigoulès, un bourg situé douze kilomètres plus au sud.

Le gérant laissa couler un temps de silence.

– Si vous le savez déjà, qu'est-ce que je peux vous apprendre d'autre ?

– La raison pour laquelle il ne vous avait pas révélé son prénom.

– Ma foi, dit le gérant, je l'ignore. J'imagine que c'est un prénom difficile à porter. Surtout quand on travaille dans un magasin comme le mien.

Quand Logicielle eut raccroché, Germain se tourna vers elle.

– C'est un drôle de prénom, en effet, murmura-t-il. Je sais bien que dans la région, nous avons eu des Onésime, des Élisée… Mais Achille ?

Le téléphone portable de Logicielle sonna une nouvelle fois. Elle porta le combiné à son oreille.

– Qui ? … Parlez plus fort, je ne vous entends pas !

Au ronronnement de la voiture se superposait le fracas du tonnerre.

– C'est MAXIME ! Je voulais que tu saches, Logicielle : je crois que j'ai trouvé !

– Nous aussi, nous tenons le coupable ! dit-elle.

– Moi, reprit Max, j'ai trouvé la voie qui mène au Trésor. Je suis sûr que c'est le puits !

– Le puits ?

– Oui. Tu as oublié de l'indiquer sur le plan qui figure à côté de ton ordinateur. C'est en me promenant sur la terrasse du château que je l'ai aperçu. Il suffit de cliquer sur la grille qui l'obstrue pour qu'elle s'ouvre. Ensuite, on descend facilement grâce à des échelons. Et trois mètres avant de parvenir au fond, on découvre un tunnel horizontal qui se dirige en direction du château ! À mon avis, il donne sur les souterrains.

Logicielle ne comprenait pas.

– Attends... D'où m'appelles-tu, Max ?

– Mais voyons, de chez toi ! Je n'allais pas repartir sans rendre une petite visite à notre ami Pyrrha.

– Tu as branché l'OMNIA 3 ?

– Hé, c'est toi qui me l'as demandé ! Allez, à bientôt. Je me lance dans une petite expédition nocturne, je te tiendrai au courant !

– Max, ne fais pas de bêtises... Max ?

Il avait raccroché. Une vague inquiétude monta chez Logicielle : et si Max avait raison ? Et s'il parvenait jusqu'au Trésor ?

– Germain, dit-elle en se tournant vers le conducteur, vous êtes sûr que vous ne pouvez pas rouler un peu plus vite ?

Quand ils arrivèrent en vue de Paris, il n'était pas loin de minuit. La voiture s'engagea sur les quais de Seine. L'avenue ressemblait à un fleuve qu'auraient alimenté en permanence des trombes d'eau. Le téléphone portable de Logicielle sonna. C'était Mme Boulazac qui voulait savoir si elle devait toujours les attendre.

– Oui, dans un quart d'heure, nous sommes chez vous, lui assura-t-elle.

Saint-Ouen se trouvait sur leur route. Logicielle pensait à Max ; elle le rappela. Sa propre voix l'accueillit. Elle jura :

– Cet animal a branché mon répondeur ! Il ne veut sans doute pas être dérangé.

– On se demande comment les gens survivaient avant que ces engins n'existent, bougonna Germain en désignant le téléphone portable.

– Madame, dit doucement Logicielle, nous aimerions que vous nous parliez de votre fils Achille.

Mme Boulazac se troubla et fronça les sourcils sans comprendre ; elle se tourna vers Germain comme si elle soupçonnait ce nouveau venu d'avoir fait ressurgir ce fantôme.

Tous trois étaient à présent assis sur des fauteuils, dans un petit salon. On entendait le son d'un téléviseur provenant de la pièce voisine où se trouvait le jeune Jean-Mi.

– Je me doute que c'est un sujet douloureux, madame, insista Logicielle. Achille est mort il y a peu de temps ?

– En novembre dernier, il y a environ sept

mois. Il était atteint du... d'une maladie incurable. Il n'avait que vingt-quatre ans.

Ce souvenir ravivé semblait l'affecter davantage que la disparition récente de son mari. Elle se tamponna les yeux avec son mouchoir. Mme Boulazac n'avait guère plus de quarante ans mais elle avait vieilli en quelques secondes.

– Jean-Mi et moi allions le voir tous les jours, le plus souvent en cachette. Ce fut une période très difficile...

– En cachette ? Vous voulez dire : en cachette de votre mari ?

– Oui. Mon fils et lui ne s'entendaient pas très bien. Ils... cela s'est toujours très mal passé entre eux. Vous comprenez mademoiselle, quand Achille est né, je n'avais pas dix-sept ans. C'était bien avant que je ne rencontre mon futur mari. Lorsque j'ai épousé Jean, Achille avait cinq ans. Très vite, ce furent des conflits incessants. La naissance de Jean-Mi n'a rien arrangé, même si les deux frères se sont toujours très bien entendus. Mais mon mari, lui, rejetait mon aîné. À quinze ans, Achille a fugué. J'ai dû me résoudre à le placer en pension. Il était passionné d'informatique, il avait acquis des connaissances qui le promettaient à un avenir brillant...

Logicielle laissa Mme Boulazac sangloter un instant. Puis elle demanda à voix très basse :

– Madame... Votre mari savait-il que le père d'Achille était monsieur de Chiron ?

Sur le visage baigné de larmes naquit une

brutale et profonde stupéfaction. Mme Boulazac rougit violemment et balbutia :

– Mais je... qu'est-ce qui vous permet de croire... ?

– Son prénom. Est-ce vous qui en avez eu l'idée ou monsieur de Chiron ? Et croyez-vous que votre mari ait suffisamment ignoré la mythologie pour ne pas avoir de soupçons ?

Elle jeta un regard inquiet vers la pièce où se tenait Jean-Mi ; puis elle baissa la tête et murmura :

– Je crois que personne n'en a jamais rien su.

– Si, Achille, dit Logicielle. En grandissant, il a deviné la vérité. Jusqu'à l'âge de cinq ans, il a fréquenté le château, n'est-ce pas ?

– Oui, avoua Mme Boulazac. Il a continué d'y aller après la mort de M. de Chiron. C'était facile, le domaine n'était pas loin de Sigoulès. Moi, je n'y suis jamais retournée...

Il y eut un instant de silence, pendant lequel on n'entendit que le bourdonnement de la télévision et le fracas intermittent du tonnerre.

– Puis-je savoir comment vous avez appris tout cela ? demanda Mme Boulazac. Et quel rapport existe entre l'identité de mon fils aîné et la mort de mon mari ?

– Le rapport, c'est la haine, dit Logicielle. La haine qui opposait Achille à votre époux. Dites-moi, était-il déjà antiquaire lorsque vous vous êtes mariés ?

– Oh non. À l'époque, il était au chômage et nous avions des difficultés financières. Et puis une opportunité s'est présentée : des amis à lui ont apporté des meubles en dépôt, qu'il a revendus avec de gros bénéfices. C'est grâce à cette première opération qu'il a ouvert un magasin d'antiquités.

– Des amis ? Qui s'appelaient Carrier, Maruani, Sauzon, Bron, Lavigne ?

– Oui, peut-être bien. Vous savez, mon mari ne me tenait pas au courant de ses affaires. C'étaient des camarades d'enfance, des jeunes gens de la région.

– N'avez-vous pas remarqué, dit Logicielle en désignant le salon, que certaines de ces pièces provenaient du château de monsieur de Chiron ?

– Oh si, je sais que mon mari a retrouvé deux ou trois meubles de Grimoire dans des brocantes des environs. Il les a rachetés pour une bouchée de pain. Sans doute avaient-ils été dérobés.

– Mais vous connaissiez leur origine ? dit Germain. Cela s'appelle du recel.

Mme Boulazac approuva ; mais elle ne semblait pas embarrassée outre mesure.

– Ces meubles, se défendit-elle, mon mari les a achetés ! Si ça n'avait pas été lui, d'autres s'en seraient chargés ! D'ailleurs, on ignore qui est le propriétaire actuel du château !

– Votre mari, reprit Logicielle, connaissait le château de Grimoire ?

– Oh, dans la région, tout le monde connaissait le domaine !

– Je vous remercie, madame, dit Logicielle.

Elle se dirigea vers la pièce contiguë, frappa à la porte et l'entrouvrit. En apercevant Logicielle, Jean-Mi sourit et baissa le son du téléviseur.

– Jean-Mi, j'aimerais que tu me dises... Est-ce qu'Achille t'avait emmené à Grimoire ?

– Oui, bien sûr ! Il m'avait aussi fait visiter les grottes des environs. Mais le château était notre balade favorite !

– Il n'y avait déjà plus aucun meuble, n'est-ce pas ?

– En effet. Et Achille avait le cœur gros en me montrant les pièces du château. Lui, il se rappelait l'époque où c'était encore un vrai musée !

– Ta mère n'était pas au courant de vos escapades à Grimoire ?

– Non : son accès était interdit. Et je savais bien qu'il fallait se méfier des oubliettes.

Logicielle s'approcha de la bibliothèque de Jean-Mi. Elle en sortit un volume dont elle avait reconnu le dos : *Interactives Pictures in 3 D.*

– Ça, c'était un livre de mon père.

Logicielle était sûre qu'en fouillant dans la bibliothèque des autres victimes, elle aurait retrouvé des ouvrages identiques : les complices avaient dû se refiler l'information.

– Dis-moi, Jean-Mi, connais-tu les souterrains de Grimoire ?

– Oui. C'est grâce à eux qu'on peut pénétrer dans le château.

– En descendant le gouffre qui se trouve au centre de la caverne du parc ?

Jean-Mi leva vers Logicielle un regard intéressé : comment cette étrangère au pays connaissait-elle si bien les lieux ?

– Non, souffla-t-il à voix plus basse comme pour ne pas divulguer un secret. Grâce au puits ! Il possède des échelons et un tunnel à mi-parcours. Achille m'affirmait qu'après la vente du château, c'était le seul moyen de rejoindre l'intérieur sans déclencher les alarmes. Ah, si ma mère avait su tous les risques que nous prenions...

– Le puits ! répéta Logicielle d'une voix blanche.

Elle pâlit et se précipita dans le salon.

– Germain ? Il faut que nous partions ! Madame Boulazac, je vous remercie pour ces précisions.

Comme Jean-Mi, inquiet, avait rejoint sa mère dans la pièce, Logicielle ajouta :

– Vous pouvez compter sur notre discrétion, madame.

Une discrétion à double sens ; car Logicielle répugnait à révéler à la mère d'Achille les responsabilités de son fils dans la mort de son mari.

Un rideau de pluie assaillit Logicielle et Germain quand ils sortirent de l'immeuble. L'orage grondait avec une fureur redoublée. Le temps de parcourir vingt mètres pour se réfugier dans la voiture, et ils furent trempés.

– Germain, vite ! Allons chez moi, à Épinay : Max est en danger !

Le pont de Saint-Denis était coupé : un accident dû au mauvais temps les obligea à effectuer un long détour.

– Ainsi, demanda Germain, vous avez tout reconstitué ?

– C'est simple, dit Logicielle : Achille, le fils naturel de monsieur de Chiron, s'est toujours senti chez lui à Grimoire. Sa mémoire d'enfant a conservé un souvenir ébloui du château. Ce fut sans doute un déchirement lorsque monsieur de Chiron est mort : Achille perdait son vrai père – même s'il l'ignorait ! Confusément, il devinait que Grimoire lui serait fermé. En fait, grâce au gardien, il continua de venir au domaine, y compris après sa vente… Mais une fois sa mère mariée, Achille dut subir la haine de Jean Boulazac qui rejetait ce garçon né de père inconnu. Ce fut l'enfer… À droite, Germain, après le feu, à droite !

Le feu était orange, mais Germain le franchit.

– Bien entendu, poursuivit Logicielle, Jean Boulazac connaissait lui aussi le château et l'accès par le puits. C'est même ainsi qu'il a dû y pénétrer sans déclencher les alarmes et en sortir peu à peu le mobilier.

– Mais les autres ? demanda Germain. Sauzon, Lavigne...

– Peut-être est-ce l'un d'eux qui a commencé le pillage du domaine ? Imaginez plutôt : lors d'une visite clandestine, Boulazac tombe sur un intrus qui est en train de se servir. Ou l'inverse. Chacun menace de dénoncer l'autre... Il y a aussi la version de madame Boulazac : Bron, Maruani ou un troisième larron tombe un jour en arrêt devant la vitrine d'un magasin d'antiquités. Il y découvre un meuble qu'il identifie aussitôt comme ayant appartenu à Grimoire ! Il comprend qu'il s'agit d'un larcin et menace le commerçant de dénonciation. Mais le chantage est délicat...

– D'accord, admet Germain. Ces individus se connaissent depuis longtemps. Enfants, adolescents, ils ont dû explorer Grimoire, comme Achille !

– D'une manière ou d'une autre, un accord est vite conclu par ceux qui connaissent l'accès au château : ils décident de se taire et de se partager le butin.

– Mais c'était compter sans le fils de monsieur de Chiron...

– Oui. Le jour où Achille s'aperçoit que le domaine, dont il se considère comme l'héritier spirituel, a subi un tel vandalisme, on peut comprendre sa fureur. Il jure de se venger. Il soupçonne son beau-père. Contrairement à sa mère, il n'est pas dupe quand il aperçoit chez lui les meubles du château. Mais il sait que Jean Boulazac n'est pas le seul responsable du saccage. Il n'a aucun moyen de connaître l'identité de ceux qui se sont servis...

– Mais il imagine un subterfuge pour les confondre, dit Germain, le programme LTPG !

– Oui, Achille conçoit ce programme comme une véritable souricière. Les appâts qu'il sème attireront les anciens vandales ; mais les obstacles qu'il échafaude empêcheront les étrangers au pillage d'accéder à Grimoire.

– Cependant, dit Germain en se garant près de l'immeuble de Logicielle, Achille meurt en novembre dernier ! Comment, dans ces conditions, peut-il passer des annonces au début de cette année dans les hebdomadaires locaux et dans les magazines spécialisés ? Comment son fantôme parvient-il à télécharger le programme LTPG sur Internet ?

– Sans doute a-t-il laissé des instructions à un ami. Un ami qui ignore le contenu des enveloppes ou des programmes qu'il envoie ! N'oubliez pas, Germain, que le Réseau est un immense salon convivial ; il s'y noue mille complicités...

– Et quelques mois après la mort d'Achille, murmure Germain, le goulet se referme : les victimes désignées tombent dans ce piège préparé longtemps à l'avance. Elles seules savent que le puits dissimule une entrée secrète. Eh, Logicielle ?

Elle s'était élancée hors du véhicule, courait sous la pluie.

– Attendez-moi ! cria Germain comme elle s'engouffrait dans le vestibule de son immeuble.

Déjà, elle montait les escaliers quatre à quatre, le cœur battant à tout rompre. De son studio s'échappait une musique démente, un crescendo infernal au rythme saccadé.

– Max ! hurla-t-elle. Max !

Elle ouvrit sa porte à la hâte pour découvrir un spectacle d'horreur : assis devant l'écran de l'OMNIA 3 qui scintillait d'étranges couleurs mouvantes, Max étouffait, pétrifié dans une expression de douleur aiguë, bouche ouverte, yeux exorbités, en état d'hypnose.

– Max !

Elle se précipita vers lui au moment où une lueur éblouissante jaillissait de l'écran, mêlant son éclat fulgurant à celui des éclairs de l'orage. Elle ceintura Max, bouscula sa chaise. Ils tombèrent sur le sol.

D'un coup, la musique s'arrêta et l'écran s'éteignit.

– Max, réponds-moi, je t'en supplie !

Un râle sortit de la gorge de son collègue affalé à terre, comme s'il reprenait son souffle après une apnée prolongée. Il redressa péniblement la tête, ouvrit les yeux et eut des difficultés à accommoder. Il bredouilla d'une voix rauque :

– Logicielle ? ... C'est toi ?

– Oui. Je suis là. Max, que s'est-il passé ?

Elle l'aida à gagner le lit ; il y resta assis, prostré, murmura :

– C'était… c'était horrible ! J'ai erré pendant des heures dans les souterrains. Je suis tombé dans des oubliettes, je me suis égaré dans un labyrinthe, je me suis heurté plusieurs fois à des grilles ou à des culs-de-sac… J'ai fini par approcher du Trésor ! Pyrrha me guidait ; ou plutôt la musique qui accompagnait ma progression s'enflait ou s'amenuisait pour me guider. Ma respiration et mon rythme cardiaque ont fini par épouser cette cadence. Quand je suis arrivé devant un étrange tumulus, j'ai su qu'il était temps de me déconnecter : ouvrir ce tumulus représentait un vrai danger. Mais j'étais incapable de résister…

– Tu as ouvert le tombeau ? dit Logicielle.

– Oui. Et alors j'ai fait face à l'horreur absolue.

Son corps fut saisi d'un tremblement incontrôlable ; il se prit la tête entre les mains.

– C'était une vision de cauchemar, Logicielle ! Jamais je n'oublierai…

Elle le prit par les épaules, le réconforta d'une voix douce :

– Le monstre ne t'a pas dévoré, Max. Il t'a épargné.

Maxime releva la tête et écarquilla les yeux. Il restait figé comme s'il avait aperçu un fantôme.

– Eh, je ne suis pas un monstre, moi ! s'exclama une voix familière.

Logicielle se retourna. L'inspecteur Germain était là, à quelques pas. Il avait refermé la porte du studio et les observait.

– Germain, dit Logicielle, je vous présente Max.

– Aucun doute, constata Logicielle en manipulant la souris. Le programme LTPG est toujours là. Je m'attendais à trouver un trou de quatre-vingt-trois gigaoctets, exactement comme lors des six accidents précédents. Mais tu as dû fermer les yeux et te déconnecter au dernier moment.

– Autrement dit, je l'ai échappé belle ?

– Non. Je crois que tu ne serais pas mort, Max : d'abord, tu es jeune et résistant. Ensuite, comme tu as effectué un parcours sans faute, tu n'es resté branché que sept heures, ce qui est un peu juste pour te mettre dans un état de réception idéal. Enfin, tu n'as pas absorbé d'amphétamines.

– Cependant, ajouta Germain, j'ai bien aperçu cet éclair violent…

– Oui, dit Logicielle. Une décharge lumineuse. Un coup de grâce porté à l'utilisateur du programme. Un influx qui emprunte le nerf optique avant d'occasionner d'importants dégâts dans le cerveau. Comme la future victime est en proie à l'effroi, à l'hypnose et à la suffocation…

Elle alla jusqu'à la fenêtre de son studio et aperçut, entre deux nuages attardés, la lueur blafarde et familière de la lune.

– L'orage s'éloigne, murmura Germain. Mais ça a bien craqué.

– Ainsi, vous venez de Bergerac ? demanda Max, la gorge serrée. Vous avez traversé la tempête et la nuit pour me sauver la vie ?

– N'exagérons rien, dit Logicielle. Je voulais interroger madame Boulazac à Saint-Ouen. Et comme Germain avait envie de te connaître, il m'a emmenée en voiture et raccompagnée chez moi.

– Soyons honnête, précisa l'inspecteur. Logicielle était un peu inquiète à votre sujet.

– Ah, quand même ? fit Max.

– Oh, se défendit-elle, nous étions pressés de te résumer le résultat de nos investigations. Car pendant que tu jouais avec le programme LTPG, Germain et moi avons découvert le coupable.

– C'est vrai ? déclara Max en se redressant. Vous allez me raconter ça ! À présent, je me sens en pleine forme.

– Toi, peut-être. Mais Germain et moi nous avons six cents kilomètres derrière nous. Et il est trois heures du matin.

Elle désigna l'unique lit de la pièce, sur lequel son collègue était assis.

– Tu vois, Max, je serais très contente de dormir un peu.

Logicielle sursauta. Ce qu'elle avait pris dans son demi-sommeil pour une lueur mortelle était un rayon de soleil qui traversait la fenêtre pour venir mourir sur son lit.

Elle se leva, s'étira et jeta un coup d'œil sur le radio-réveil.

Il était tard. Elle réalisa qu'on était dimanche.

La veille, ou plus exactement cette nuit, Germain était reparti avec Max qui lui avait proposé de l'héberger. Logicielle sourit en pensant qu'en ce moment même, les deux hommes prenaient leur petit déjeuner face à face. Elle était sûre qu'ils s'entendraient bien ; ils avaient mille choses à se dire.

Une fois prête, elle faillit partir pour les retrouver chez Max. Mais elle y renonça : elle risquait de rompre la complicité qui, elle n'en doutait pas, se nouait déjà entre eux.

Après quelques instants d'hésitation, elle alluma l'OMNIA 3.

– Pyrrha ? Je sais qui tu es. Pyrrha ? Pourquoi ne me réponds-tu pas ?

Parvenue dans le salon d'honneur, elle observa le coffre Renaissance. Elle était certaine que ce meuble n'existait pas. Il avait été fabriqué sur mesure, pour les besoins de LTPG. Le visage du guerrier grec n'était sûrement pas celui d'Achille Boulazac, mais les traits sous lesquels il avait choisi de se montrer. Logicielle ne connaîtrait sans doute jamais le coupable autrement que sous cette apparence.

– Je sais que tu es Achille. Achille Vidal.

Étrangement, Pyrrha restait muet, comme si la révélation de son nom véritable avait perturbé l'ensemble du programme.

– Je sais tout, Achille. Nous avons maintenant les preuves de ta culpabilité. Mais il me faut des aveux complets.

Logicielle quitta le salon pour entrer dans le vestibule ; après un bref périple de quelques minutes, elle parvint dans la chapelle.

La veille, elle parcourait encore les lieux authentiques. La fiction, songea Logicielle, était plus belle que la réalité ; et elle le resterait éternellement ou presque : grâce à la magie de l'informatique, Achille avait reconstitué un château dont les merveilles ne seraient plus violées, un musée virtuel insensible à l'usure du temps.

Soudain, son regard tomba sur le confessionnal. Elle s'en approcha et constata, déçue, qu'il était vide. Une intuition absurde lui effleura l'esprit. Au lieu de s'installer à la place du fidèle, elle dirigea son regard vers la porte. Elle fixa un instant la petite serrure, et le panneau de bois s'ouvrit dans un léger grincement. Logicielle entra dans l'obscurité et se retrouva à la place du prêtre. À travers les croisillons de l'étroit parloir, elle pouvait observer la chapelle.

Elle n'attendit pas longtemps : bientôt, elle perçut l'écho de pas qui se rapprochaient. Quelqu'un entra dans la chapelle. À en juger par sa silhouette, c'était un jeune homme ; les rayons tombant des vitraux l'empêchaient de distinguer son visage. Lorsqu'il s'agenouilla en face d'elle, de l'autre côté du confessionnal, ses traits furent noyés dans l'ombre et elle regretta à nouveau de ne pas le voir distinctement. En revanche, elle croyait percevoir sa respiration saccadée. Il était à présent très proche.

– Achille, murmura Logicielle. Achille... pourquoi as-tu fait cela ?

Seul un soupir lui répondit.

– Six victimes ! Te rends-tu compte, Achille, de l'énormité de ton crime ?

– *Je voulais me venger, Logicielle,* murmura la voix du jeune homme – car ce n'était plus celle de Pyrrha. *Me venger non pas de mon beau-père, mais de ceux qui ont détruit mon enfance.*

Le silence s'était installé ; mais il n'était plus angoissé ni tendu, c'était maintenant un silence apaisé, presque recueilli.

– *Les merveilles du passé méritent respect et protection, Logicielle. L'œuvre d'art est semblable à la vie : honte à qui la négocie, la vend ou la mutile !*

C'étaient là d'étranges mobiles. La voix d'Achille poursuivit, comme pour quêter l'indulgence d'un jury :

– *Moi, j'ai utilisé des technologies qui permet-*

tent de nouvelles formes de création. J'ai essayé de construire. De construire et d'émerveiller. Et d'autres, Logicielle, s'ingénient à détruire et voler. Ne crois-tu pas qu'ils devraient être à ma place aujourd'hui ?

– Ils sont morts. Tu n'as aucun remords ?

– *Si. Je regrette. Je pleure sur le gâchis et la beauté perdue. Je pleure sur le saccage et la cupidité. Je pleure même, et c'est vrai, sur ceux que j'ai supprimés parce qu'ils auraient pu faire autre chose de leur vie.*

Logicielle songea que cette confession était truquée, puisqu'elle avait été enregistrée avant que les crimes ne fussent commis. Quelle valeur avait un repentir conçu avant l'exécution d'un meurtre ?

– *Mais surtout,* reprit Achille à voix basse, *je voulais un jour exister ! Car je n'ai jamais existé, Logicielle. Dès que ma mère s'est mariée, j'ai sans cesse été rejeté : abandonné par un père qui est mort sans m'avoir reconnu, délaissé par une mère devenue l'esclave d'un tyran, détesté par un individu qui abusait de ses pouvoirs... Quand j'ai su que j'allais mourir et laisser tant d'injustices impunies, j'ai voulu procréer un autre Achille. Car vois-tu, Logicielle, je suis davantage moi-même dans ce programme informatique que je ne l'ai été dans ma vie.*

Comme Logicielle se taisait, il ajouta :

– *Je suis soulagé de ces aveux, Logicielle. Désormais, le programme va se poursuivre dans une autre direction.*

– Que veux-tu dire ? Explique-toi.

Achille se leva. Ou plutôt l'image sous laquelle Achille avait voulu s'immortaliser quitta le confessionnal. Sa silhouette se dirigea vers la sortie de la chapelle. Se noyant dans la clarté des vitraux, elle s'estompa, tel un fantôme.

Et Logicielle réalisa que c'en était un.

– Intéressant, dit le commissaire en déposant le rapport de Logicielle sur son bureau. Mais qu'est-ce qui nous prouve que LTPG ne fera pas d'autres victimes ? D'après ce que j'ai compris, il est encore en circulation.

– Oui. Et il le restera, monsieur Delumeau. Toute technologie nouvelle a ses périls et ses excès. Mais désormais, les utilisateurs de logiciels pirates connaissent les risques qu'ils encourent : un mailing sur Internet informe des dangers de ce programme. La télévision et la presse ont diffusé l'information.

Elle désigna sur son bureau le journal de la veille au soir – celui qui, le mois précédent, avait incriminé les OMNIA 3. Elle ajouta :

– En balayant les soupçons qui pesaient sur ces ordinateurs, cette histoire fait une belle publicité pour NCF. Les journalistes ne tarissent pas d'éloges sur la puissance et la qualité des OMNIA 3 !

– Vous croyez que le danger est écarté ?

– Oui. Achille a supprimé ceux qu'il jugeait coupables. En réalité, il n'a tué personne de son vivant : LTPG, son arme, s'est chargée des exécutions ! Ses victimes se sont précipitées comme il l'avait prévu dans le piège qu'il leur avait tendu. À mon avis, il n'y aura pas d'autre meurtre, monsieur Delumeau : Achille en avait programmé six. Pas un de plus.

Ce soir-là, en rentrant chez elle, Logicielle aperçut une camionnette qui stationnait près de son domicile. Elle reconnut le sigle NCF. Elle ne fut pas étonnée d'apercevoir Kostovitch arpenter le trottoir au bas de son immeuble. L'homme se précipita vers elle.

– Mademoiselle, je tiens à vous adresser mes félicitations et mes remerciements.

– Je vous en prie. Vous m'accompagnez ? Je suppose, dit-elle en désignant la camionnette, que vous venez récupérer votre OMNIA 3 ?

– Comment ? Récupérer quoi ?

– L'ordinateur que vous m'avez confié pour l'enquête.

– Ah, l'*ordinatueur* ? fit-il avec un sourire moqueur. Vous plaisantez, mademoiselle ! Je ne vous ai rien confié du tout, c'était un outil de travail. Et vous l'avez remarquablement utilisé. Il n'est pas question que nous reprenions quoi que ce soit. D'ailleurs, il vous serait encore utile au cas où... enfin, bien entendu, j'espère que ça ne se reproduira pas.

Le temps que Logicielle peaufine un ou deux arguments pour refuser ce cadeau déguisé, et Kosto, sur un signe amical de la main, s'était déjà éclipsé.

En entrant dans son studio, Logicielle eut l'impression que quelqu'un était déjà là, à l'attendre. Bien entendu, il n'y avait personne. C'est en apercevant l'OMNIA 3 qu'elle comprit.

Elle s'en approchait quand le téléphone sonna.

– Logicielle ? Ici Germain. C'est fait : grâce au plan que Max nous avait confié, une équipe de spéléologues et de démineurs a découvert le tumulus dans le dédale des souterrains de Grimoire...

– Eh bien ?

– Il était miné. Nous l'avons fait exploser. Rassurez-vous, il n'y a eu aucune victime ! Nous avions pris les précautions nécessaires. Il était évident que ce tombeau dissimulait un piège ! Achille avait pensé à tout : si un utilisateur de LTPG échappait à *l'ordinatueur*, il irait chercher le Trésor sur place...

– La mort qu'Achille lui réservait était moins originale.

– Désormais, l'accès aux souterrains est interdit. Le puits est fermé par une grille. La préfecture installera une enceinte de protection autour du domaine de Grimoire...

– Il est temps, murmura Logicielle.

– Je suis ravi que vous soyez venue. Cela nous a permis de visiter le château ensemble ! Avant que le site ne soit rénové et ouvert au public, il faudra attendre des années... Souvenez-vous de Grimoire, Logicielle : vous n'êtes pas prête de le revoir.

Eh bien voilà, c'est fini ! songea Logicielle.

Elle se retrouvait seule dans son studio. Malgré l'heure tardive, le soleil inondait encore l'avenue. En juin, les jours n'en finissaient pas. Irait-elle passer une partie de l'été dans le Périgord, comme Germain le lui avait proposé ? Ou accepterait-elle d'accompagner Max en Auvergne ? À l'idée de ce long voyage à moto, elle réprima un frisson. Puis elle songea que ces deux projets de vacances n'étaient pas incompatibles.

Le téléphone sonna. C'était Max qui l'invitait à dîner. Elle refusa.

– Quoi ? Mais c'est impossible ! Et puis j'ai plein de tours de magie à te montrer !

Logicielle réprima un sourire et répondit sans se fâcher :

– Écoute Max, sois raisonnable : nous avons déjeuné ensemble à midi. Je t'ai promis que nous partirions tous les deux pour le week-end. Je ne voudrais pas que tu comprennes trop vite combien je peux être parfois casse-pieds…

– Alors c'est non ? Tu es sûre ?

– Ce soir, Max, je suis fatiguée. Et puis qui sait, j'ai peut-être rendez-vous avec quelqu'un d'autre !

– Tu veux que je te dise, Logicielle ? Je n'en crois pas un mot.

– Il ne faut jamais être aussi sûr de soi, Max. À demain, je t'embrasse.

À peine eut-elle raccroché qu'elle se dirigea vers l'OMNIA 3. Elle eut un instant d'hésitation ; mais le reflet du soleil sur l'écran lui faisait signe.

Elle s'assit, alluma l'ordinateur.

– Bonjour Logicielle. Que souhaites-tu faire aujourd'hui ?

– Voyons du côté de LTPG, répondit-elle.

Très vite, elle se retrouva devant la grille du parc de Grimoire. Elle entra. Le domaine n'avait pas changé. Les allées étaient toujours envahies par les herbes et les arbres mangés par le lierre. Le grand escalier, ici, était bien gardé par les statues de marbre, debout sur leur socle.

Logicielle monta. Arrivée dans la cour, elle se promena un moment. Là-haut, les tours de l'édifice dominaient la vallée. C'était le soir, comme dans la réalité ; le soleil couchant dardait ses rayons obliques sur les vitraux colorés des fenêtres.

Logicielle fixa la serrure de la porte principale qui s'ouvrit. Elle s'arrêta sur le seuil du salon d'honneur : elle était impressionnée et émue par ces meubles et ces murs qui reflétaient tant de siècles d'histoire.

Elle constata avec surprise que le coffre Renaissance était toujours là ; mais son motif n'était plus le même. Il représentait maintenant une scène paisible et champêtre. Une scène mythologique, bien entendu. Peut-être la rencontre entre Daphnis et Chloé. Ou un couple réuni avant le départ pour Cythère.

Pour une raison inconnue, elle n'osait pas bouger. À cet instant, au fond de la pièce, une porte s'ouvrit.

Quelqu'un avança, s'approcha d'elle et lui sourit. C'était un jeune homme. Bien qu'elle ne l'eût jamais vu, elle sut que c'était Achille.

D'un geste, il l'invita à entrer. Et comme elle hésitait encore, il lui dit :

– Je te souhaite la bienvenue, Logicielle. Viens, je t'attendais.

GLOSSAIRE

BAL : Boîte Aux Lettres de certains serveurs dans lesquelles on peut laisser un message auquel seul son destinataire a accès grâce à un code secret.

Barre de menus : partie de l'écran où sont affichées les différentes possibilités d'utilisation d'un logiciel donné.

CAO : Conception Assistée par Ordinateur. Technique qui permet de concevoir et de visualiser des objets au moyen de l'informatique.

CDEX : CD-Rom réinscriptible (c'est-à-dire effaçable et enregistrable, comme une simple cassette audio ou vidéo) double face et multicouche.
Ces disques n'existent pas encore mais ils sont à l'étude.

CD-Rom : « Compact Disc Read only memory ». Disque compact contenant des données informatiques (son, texte, images fixes ou animées, etc.) L'utilisation d'un CD-Rom suppose l'usage d'un lecteur spécifique.

Économiseur d'écran : dispositif qui, quelques minutes après que l'ordinateur n'a plus été utilisé, assure l'extinction provisoire de l'écran.

Gigaoctet : un milliard d'octets. Un octet est composé d'un ensemble de 8 bits, le bit étant l'unité d'information la plus élémentaire (0 ou 1).

Internet : voir Réseau.

Modem : MOdulateur /DEModulateur. Dispositif qui transforme un signal numérique, c'est-à-dire un signal informatique, en signal destiné à transiter par le réseau téléphonique et inversement.

Morphing : modification artificielle des traits d'un visage, des contours ou de la forme d'un objet. Aujourd'hui, cette technique est couramment utilisée en publicité ou dans les trucages.

Net : diminutif d'Internet ou de Réseau.

OMNIA 3 : Ordinateur à Mémoire Neuronique et Intelligence Artificielle de troisième génération. Ce type d'ordinateur est ici imaginé par l'auteur. Au Japon sont déjà commercialisés certains ordinateurs à commandes vocales et optiques. Le dispositif de commande optique dont est doté l'OMNIA 3 est déjà en fonction en France, dans les casques intégrés des pilotes d'avions de chasse. Certaines recherches très sérieuses portent même sur des ordinateurs qui pourraient fonctionner avec la pensée.

Réseau : terme désignant plusieurs ordinateurs interconnectés. Le plus connu est le réseau mondial Internet, sur lequel des millions d'utilisateurs se connectent au moyen d'un ordinateur, d'une ligne téléphonique et d'un abonnement forfaitaire.

RTEL 1 : serveur bon marché, encore en service sur le réseau Télécom et accessible grâce au minitel.

Télécharger : opération qui consiste à recevoir au moyen du réseau téléphonique des données informatiques (texte, son, images, etc.).

Trackball : boule mobile intégrée au clavier. Le trackball remplace la souris sur certains modèles.

Web : ou Net. Termes américains désignant le Réseau des liaisons Internet. Se brancher sur ce réseau pour l'explorer se dit familièrement surfer sur le Web.

COLLECTION

Cascade

CASCADE POLICIER

AGATHE EN FLAGRANT DÉLIRE
Sarah Cohen-Scali.

À L'HEURE DES CHIENS
Évelyne Brisou-Pellen.

ALLÔ ! ICI LE TUEUR
Jay Bennett.

L'ASSASSIN CRÈVE L'ÉCRAN
Michel Grimaud.

L'ASSASSIN EST UN FANTÔME
François Charles.

BASKET BALLE
Guy Jimenes.

LE CADAVRE FAIT LE MORT
Boileau-Narcejac.

CENT VINGT MINUTES POUR MOURIR
Michel Amelin.

LE CHARTREUX DE PAM
Lorris Murail.

LE CHAUVE ÉTAIT DE MÈCHE
Roger Judenne.

COUP DE BLUES POUR DAN MARTIN
Lorris Murail.

COUPS DE THÉÂTRE
Christian Grenier.

DES CRIMES COMME CI COMME CHAT
Jean-Paul Nozière.

CROISIÈRE EN MEURTRE MAJEUR
Michel Honaker.

DANS LA GUEULE DU LOUP
Boileau-Narcejac.

LE DÉMON DE SAN MARCO
Michel Honaker.

LE DÉTECTIVE DE MINUIT
Jean Alessandrini.

DRAME DE CŒUR
Yves-Marie Clément.

DRÔLES DE VACANCES POUR L'INSPECTEUR
Michel Grimaud.

UNE ÉTRANGE DISPARITION
Boileau-Narcejac.

HARLEM BLUES
Walter Dean Myers.

L'HÔTEL MAUDIT
Alain Surget.

L'IMPASSE DU CRIME
Jay Bennett.

L'INCONNUE DE LA SEINE
Sarah Cohen-Scali.

LE LABYRINTHE DES CAUCHEMARS
Jean Alessandrini.

LA MALÉDICTION DE CHÉOPS
Jean Alessandrini.

MENSONGE MORTEL
Stéphane Daniel.

LE MYSTÈRE CARLA
Gérard Moncomble.

NE TE RETOURNE PAS
Lois Duncan.

L'OMBRE DE LA PIEUVRE
Huguette Pérol.

L'AUTEUR

Christian Grenier est né en 1945 à Paris.
Amoureux de toutes les littératures, il a écrit une centaine de nouvelles, plusieurs pièces de théâtre, de nombreux scénarios de bandes dessinées et de dessins animés pour la télévision.
Aujourd'hui, il est surtout connu pour avoir publié une trentaine de romans, trois essais et pour avoir dirigé chez Gallimard la collection Folio-Junior SF.
Christian Grenier a été enseignant. Dorénavant, il se consacre essentiellement à l'écriture.
Il habite dans le Périgord où il peut assouvir ses autres passions : la lecture, la gastronomie et la musique.

Achevé d'imprimer en octobre 1997
sur les presses de l'Imprimerie Hérissey
à Évreux (Eure)
Dépôt légal : octobre 1997
N° d'édition : 2979
N° d'imprimeur : 78283